D0989319

1
Sortilèges, salsa
et
compagnie

Danielle Dumais

L'Événement

Éditeur : François Doucet
Révision linguistique : Nicolas Whiting
Correction d'épreuves : Nancy Coulombe, Katherine Lacombe
Conception de la couverture : Mathieu C. Dandurand
Photo de la couverture : © Thinkstock
Mise en pages : Mathieu C. Dandurand
ISBN papier 978-2-89733-147-4
ISBN PDF numérique 978-2-89733-148-1
ISBN ePub 978-2-89733-149-8
Première impression : 2013
Dépôt légal : 2013
Bibliothèque et Archives nationales du Québec
Bibliothèque Nationale du Canada

Éditions AdA Inc.
1385, boul. Lionel-Boulet
Varennes, Québec, Canada, J3X 1P7
Téléphone : 450-929-0296
Télécopieur : 450-929-0220
www.ada-inc.com
info@ada-inc.com

Diffusion

Canada :	Éditions AdA Inc.
France :	D.G. Diffusion Z.I. des Bogues 31750 Escalquens — France Téléphone : 05.61.00.09.99
Suisse :	Transat — 23.42.77.40
Belgique :	D.G. Diffusion — 05.61.00.09.99

Imprimé au Canada

Participation de la SODEC.
Nous reconnaissons l'aide financière du gouvernement du Canada par l'entremise du Fonds du Livre du Canada (FLC) pour nos activités d'édition.
Gouvernement du Québec — Programme de crédit d'impôt pour l'édition de livres — Gestion SODEC.

Catalogage avant publication de Bibliothèque et Archives nationales du Québec et Bibliothèque et Archives Canada

Dumais, Danielle, 1952-

Sortilèges, salsa et compagnie
Sommaire : t. 1. L'événement -- t. 2. Euphorie.
Pour les jeunes de 9 ans et plus.
ISBN 978-2-89733-147-4 (v. 1)
I. Titre. II. Titre : L'événement. III. Titre : Euphorie.

PS8607.U441S67 2013 jC843'.6 C2013-940778-2

Mise en garde

Bien que l'auteure raffole des jalapeños et des chilis de formes et de couleurs diverses qu'elle cultive dans son propre jardin, ce sont des fruits à manipuler avec soin. En effet, à première vue, ces chilis lustrés d'un vert ou d'un rouge intense semblent inoffensifs ; on dirait presque de jolies décorations à mettre dans un sapin de Noël. Ces piments forts contiennent pourtant un puissant ingrédient irritant, la capsaïcine. Rien à voir avec les gros poivrons doux rouges, jaunes ou verts super croquants que nous dégustons dans les salades.

Si vous croquez un piment, surtout un qui est particulièrement fort, il vous entraînera en moins d'une seconde en enfer. Dès lors, vous passerez un mauvais quart d'heure si vous n'avez pas pris quelques précautions élémentaires. Vous aurez beau sautiller, transpirer, crier et pleurer, la brûlure sera là ! À moins… de connaître la recette pour apaiser ce feu infernal.

Sans ce truc, vous conservez dans votre mémoire un souvenir impérissable et brûlant de ce premier essai concluant : un piment, c'est chaud, c'est chaud, c'est chaud.

Qui ne connaît pas le fameux poivre de Cayenne que les policiers utilisent en bonbonne pour disperser la foule ? Les jalapeños sont de la même famille que la Cayenne et sont donc des aliments à manipuler avec soin. Nos deux héroïnes sont très habituées à en manger depuis qu'elles sont toutes jeunes et sont donc à l'aise d'en manger, même si elles trichent avec leurs copines, histoire de mettre du piquant. Vous verrez au cours de votre lecture que c'est un ingrédient aux propriétés très spéciales. Je ne vous en dis pas plus pour l'instant.

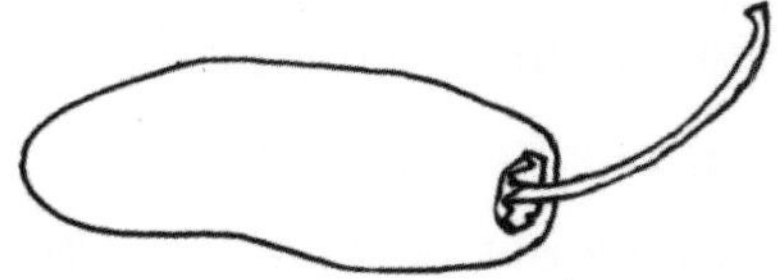

Voici les précautions à prendre si jamais vous avez à manipuler des piments pour la préparation de votre salsa préférée, d'une bonne chaudrée de chili bien piquante ou encore d'une fournée de merveilleux jalapeños panés et farcis au fromage cheddar, une vraie gourmandise.

- Porter des gants de caoutchouc lors de leur manipulation, et surtout, éviter de se toucher le visage et les yeux.

- Pour soulager la sensation de brûlure dans la bouche, boire du lait entier ou faible en gras, ou alors manger du yogourt, du pain beurré, de la crème ou encore du fromage. Ce sont de bons neutralisants. Notre premier réflexe lors de cette vive sensation de brûlure dans la bouche est souvent d'avaler de l'eau; or, il s'avère que cette mesure est inefficace. La capsaïcine n'est pas soluble dans l'eau, mais plutôt dans les matières grasses comme le lait, le fromage, ou tout autre produit contenant un corps gras.

- Pour soulager une sensation de brûlure causée par le contact de cet aliment avec la peau, il suffit de badigeonner la surface affectée avec de l'huile avant de se laver.

- En cas de contact avec les yeux, rincer plusieurs fois avec de l'eau.

*

Mieux vaut être prévenu, et surtout, n'oubliez pas que les chilis sont des condiments à utiliser avec modération et à apprivoiser. Le piment le plus fort est le Bhut Jolokia, et il ne faut pas jouer avec le « feu» de ce piment. Il peut réellement vous faire souffrir, et vous vous lamenterez durant une bonne demi-heure après avoir enfoncé vos dents dans ce petit piment rouge. Il atteint un taux de 1 000 000 d'unités sur l'échelle de Scoville, une échelle permettant de mesurer la force des piments, tandis que le jalapeño atteint un taux qui peut se situer entre 2 000 et 5 000 unités. Ce dernier est donc considéré comme étant assez doux. Le fameux poivre de Cayenne, utilisé pour l'autodéfense, peut atteindre un taux qui se situe entre 2 000 000 à 5 300 000 unités.

Soyez conscient que même si les piments ont l'air inoffensifs, ils peuvent tuer. Bon, assez parlé de ces piments, passons à l'action, à l'histoire de Sortilèges, salsa et compagnie.

Voici les principaux personnages de la rue des Ormes de Saint-Parlinpin.

Je m'appelle Saléna Bellerive. D'après ma mère, il faudrait que je sois la plus raisonnable de la famille parce que je suis l'aînée. Je suis droitière, et j'aime faire semblant que je suis une animatrice populaire en parlant dans un micro devant le miroir de ma chambre. Trop cooool!

Voici ma sœur, Samara, ma jumelle et cadette de 12 minutes et 28 secondes. Elle est gauchère, et elle aime dessiner, même si elle n'y excelle pas à 100%. Ma mère dit souvent que nous sommes complémentaires, comme le yin et le yang.

Mon voisin d'à côté, Simon Marceau le débile, notre ennemi juré. Il aime bien nous jouer des tours, et nous aimons bien riposter.

Le beau Maxime Deschamps, avec sa coupe de cheveux à la Bieber. Je le trouve très craquant. Il est timide, ou alors très discret. Malheureusement pour lui, il se tient trop souvent avec son voisin d'à côté, le débile de Simon.

Marie-Pier est de taille petite pour son âge. Je la dépasse déjà d'une tête. Elle a un visage tout rond, de grands yeux bruns, le teint basané, les cheveux noirs et sa fameuse et éternelle coupe de Dora l'exploratrice.

Chapitre 1

12 JUILLET

LE JOUR PRÉCÉDANT L'ÉVÉNEMENT

Jour -1

Depuis hier, la planète entière est secouée par une nouvelle qui, apparemment, va transformer à tout jamais les habitudes des Terriens. Toutes les heures, que ce soit à la radio, à la télévision, sur Internet, Twitter ou d'autres médias, on crache la même information à répétition au point d'en être écœurés, au point de ne plus y croire.

Tous les éminents scientifiques de la Terre entière s'accordent sur un point : l'apocalypse est prévue pour ce 13 juillet, plus précisément à 13 h 13, heure locale de Saint-Parlinpin, ma ville natale, une petite municipalité située aux coordonnées de la latitude 45° 22′ 00″ nord de l'équateur et de la longitude 73° 34′ 00″ ouest du méridien de Greenwich.

– Allô, je m'appelle Saléna Bellerive ! dis-je.

J'aime parler devant le grand miroir de ma commode, devant un public invisible qui ne me contredit jamais. Je grimpe sur un pouf et je tiens un micro de ma console de karaoké, une gratuité de mon oncle Laurent Bossé, le frère de ma mère. Pendant quelques instants, je suis l'animatrice de télévision la plus *cooool* en ville, la plus *cooool* de la planète.

– Chers téléspectateurs et chères téléspectatrices, aux dernières nouvelles, l'apocalypse est prévue pour demain en début d'après-midi. Eh oui, malgré le fait que le calendrier maya l'ait déjà prévue le 21 décembre 2012, nous avons, mes très chers téléspectateurs et téléspectatrices, survécus à ce cataclysme d'une envergure peu ordinaire, un cataclysme tellement grave qu'il ne s'est rien passé. Eh bien moi, la journaliste la plus *cooool* en ville, je prédis pour cette fois-ci la même chose, c'est-à-dire rien.

– Tiens, t'étais là ! dit ma sœur en rentrant dans notre chambre, où deux lits jumeaux sont disposés côte à côte, séparés par une table de chevet.

Cela fait un peu plus de 10 ans que je partage ma chambre avec elle.

– T'es encore à faire l'animatrice de télévision, ajoute-t-elle en s'aplatissant sur son lit.

Elle étire le bras sous son lit et attrape une boîte en plastique transparent contenant des crayons de couleur et un gros cahier de croquis.

– Ben, qu'est-ce que tu suggères de faire d'autre ? Nos parents sont comme IN-VI-SI-BLES, dis-je d'un ton choqué.

– Je sais, ça m'ennuie. Ils sont encore comme deux mannequins posés devant un téléviseur. Ça me tue.

Elle commence à griffonner des personnages, surtout des chats. Elle adore dessiner. Elle peut le faire durant des heures, voire des journées entières. Jamais elle ne s'ennuie. Tout comme moi je ne m'ennuie jamais avec mon micro.

– Depuis quelque temps, c'est toujours la même chose sur tous les canaux. Que du monde qui court les magasins avec un journaliste qui hurle en avant-plan. Pathétique! poursuit-elle.

En effet, à la télévision, on peut observer cette panique planétaire de visu. Sur tous les écrans du monde, que ce soit à Hong Kong, à Jakarta, à New York, à Montréal ou à Dolbeau-Mistassini, les téléspectateurs voient des marées humaines se ruer dans les magasins et les dévaliser pour s'approvisionner en bouteilles d'eau, en chandelles, en médicaments et autres victuailles de premières nécessités.

Saint-Parlinpin, petite ville de 25 000 habitants située en Montérégie, n'échappe pas à cette folie collective. Bien sûr, nous, les enfants, ne sommes pas pris de panique. Cette folie est une affaire d'adultes. Prise par cette vive agitation, toute la gent adulte de notre jolie municipalité se ravitaille en vivres de toutes sortes comme si une grosse tempête de neige allait s'abattre, la tempête du siècle, alors que nous sommes en plein été.

– Peuh ! je m'exclame en rangeant mon micro dans le premier tiroir de ma commode. Je te dis que rien ne va se passer. Comme pour ce fameux 21 décembre 2012.

– Je suis d'accord avec toi ! T'as vu ? J'ai l'impression d'être dans une ruche.

– J'ai pensé à la même chose, figure-toi, dis-je en m'allongeant sur mon lit.

Je ferme les yeux. J'imagine de gros insectes pollinisateurs se réveillant d'un profond sommeil et devant affronter leur première journée du printemps, leur première journée de travail. Ils ont d'immenses ailes battantes s'agitant dans tous les sens. Puis, pressés de quitter leur ruche, ils se dégourdissent les pattes et s'envolent. Ils font de nombreux aller-retour, non pas en butinant de fleur en fleur, mais en dévalisant des magasins. J'entends un bruit et je cesse mes rêveries. Je reconnais le vrombissement d'une auto qui démarre. Je me relève pour regarder par la fenêtre.

– Tiens, nos deux mannequins sont partis courir les magasins.

– Encore, soupire ma sœur. C'est une vraie maladie.

– Ça m'en a tout l'air. Je crois qu'ils vont dévaliser plus que jamais les magasins, cette fois-ci.

Je n'en reviens pas de cette effervescence, comme s'il fallait absolument tout acheter en quelques jours. Mon père en fait partie. Je suis sûre qu'il a retranché de son compte bancaire un ou deux milliers de dollars en une seule journée. Je suis profondément déçue. Il est exactement comme les autres : il biffe au fur et à mesure sa liste une fois les achats effectués, puis il les décharge dans le garage. Ma mère les rentre à l'intérieur, les distribue au sous-sol et au rez-de-chaussée, les classe, les identifie, les compte et les recompte. Oui, les gens de ma ville se préparent à un grand événement, à un terrible événement, comme toute l'humanité de la planète Terre.

J'ouvre mon ordinateur. Je lis sur le site Météo Média : ensoleillé, température de 31°C, humidité de 75 %. Rien d'alarmant. Mais quel est donc cet événement attendu qui va changer le monde ? Encore ce matin, l'animateur annonçait : « Plus que 29 heures et 54 minutes avant l'Événement. »

D'après le présentateur, il n'y avait plus grand-chose à faire. La radio et la télévision sont désormais monopolisées par tous les parents de la Terre et ne syntonisent plus que les émissions consacrées à cet Événement. Et nous, les enfants de Saint-Parlinpin, nous sommes laissés à nous-mêmes, et nous prévoyons que les jours qui vont suivre ne seront pas des plus drôles.

– Qu'est-ce qu'on fait ? je demande à Samara.

– Ben, on pourrait aller voir les filles.

Les filles, c'est Gabrielle, Charline et Marie-Pier. Elles vivent qu'à quelques maisons de la nôtre.

– Bonne idée, Sam !

– De rien, Saléna.

Chapitre 2

LE CLUB

Ennuyées par le peu d'intérêt des adultes envers nous, nous, les filles de la rue des Ormes, avons entrepris, il y a de cela quelque temps, de former un club officiel, entreprise qui semble se concrétiser en ce 12 juillet, la journée précédant l'Événement.

Cela fait déjà une grosse demi-heure que nous parlementons, toutes assises en rond et en tailleur dans notre chambre.

Je dirige la réunion, et ma sœur Samara gribouille plus qu'elle ne note convenablement nos décisions dans un carnet.

– Qui dit club, dit un nom, j'annonce. Qui a une suggestion ?

– Ben, dit Charline. Le club des 1000 watts.

– Pas très original, je lui réponds. Ç'a déjà existé, non ?

– Ben non, c'était le club des 100 watts.

– De toute façon, je lui grimace, c'est poche comme nom. Qui a une autre suggestion ?

Comme ma sœur et moi sommes les instigatrices de la plupart des activités, Gabrielle y va d'une suggestion en prenant la première syllabe de mon prénom et de celui de ma sœur.

– Pourquoi pas le club Salsa ? demande-t-elle.

Le nom me ravit, surtout que nous adorons la salsa, ma mère et nous. Il y en a toujours dans le frigo. La salsa, c'est notre mets favori en fin d'après-midi ; on en dépose sur des tortillas maison ou sur des croustilles achetées à la farine de maïs à saveur naturelle ou épicée.

– Ça sonne bien, dit Marie-Pier.

– Qu'en penses-tu, Samara ? je lui demande.

– J'aime bien !

Ainsi, après seulement quelques minutes de délibération, le club Salsa et compagnie est né de la contraction de Saléna et Samara.

– Qui dit club, dit aussi mission, j'indique.

Après bien des divagations, nous décrétons que notre priorité sera de mener une guerre aux gars de la rue des Ormes.

– Ouais, j'approuve, dis-je. Surtout Simon, le grand débile de la rue.

– Et moi, c'est Cédric. Il est trop fouineur, apporte Charline comme remarque.

– Maxime, avec ses yeux charmeurs et sa petite coupe de cheveux à la Bieber, il a l'air d'un ange, bien que je crois qu'il puisse nous réserver de très mauvaises surprises, annonce Marie-Pier de sa voix de soprano aigüe.

Ma sœur et moi rions en l'entendant commenter la coupe de cheveux de Maxime alors qu'elle a une coupe tellement similaire à celle de Dora l'exploratrice. J'avoue que je craque pour lui, mais jamais je ne vais l'avouer. Alors, pour faire diversion, je lance : « Hugo, le souffre-douleur des gars, je me demande bien pourquoi il les suit comme un petit caniche. Il n'est pas de taille. Il est le plus fluet du groupe. »

– Paulo n'est pas en reste, ricane amèrement Gabrielle, une grande brune aux cheveux plats qui a la manie de se ronger les ongles et de croire qu'elle est laide. Il passe son temps à zieuter la sœur de Simon.

– Ben, dit Samara, si je peux être aussi jolie qu'elle lorsque j'aurai dix-sept ans moi aussi, je ne m'en plaindrai pas.

Les autres filles grognent.

– Mais quoi ! ajoute ma sœur. C'est normal qu'on soit toutes jalouses d'Arielle, c'est la fille la plus séduisante de la rue.

– Ouais, elle se promène toujours avec son chien Alumine dans un sac à bandoulière, dit d'un ton désagréable Charline.

– Une vraie vadrouille, ce chien, dit Marie-Pier en ridiculisant Alumine, un yorkshire-terrier nain à poil long.

– D'accord ! je crie. Ne parlons plus de la sœur de Simon. Revenons à notre mission. Nous sommes cinq et nous déclarons la guerre aux cinq gars de notre rue.

Les filles crient un gros « Yé ! » d'approbation. Pour entériner notre proposition, nous empilons nos mains l'une sur l'autre et jurons que ces andouilles vont regretter leur été, ou du moins ce qui en reste.

– Il est presque l'heure du souper, dis-je. Il ne reste que deux choses à régler. Qui dit club, dit aussi devise. Qui en suggère une ?

– Tous pour un, suggère Gabrielle.

– Nous sommes des filles ; est-ce qu'on peut dire : toutes pour une ? se demande Marie-Pier.

– Ça sonne bizarre, indique Samara.

– Pourquoi pas Salsa les sensationnelles ? je demande.

– Ouais, dit Charline, j'aime ça.

– Moi aussi, dit Gabrielle.

– Devise acceptée ? j'insiste.

Toutes répondent un oui à l'unisson. Je regarde ma sœur et elle me fait un clin d'œil indiquant de poursuivre.

– Eh bien, il nous reste la dernière étape qui soudera chacune des membres à notre club. Car qui dit club, dit aussi épreuve.

Ma sœur dépose en plein centre le plateau qui était sur le dessus de sa commode. Les filles se sentent mal à l'aise et se tortillent sur elles-mêmes. Elles n'osent regarder le sac de croustilles à la farine de maïs en forme de cuillère ainsi que les accompagnements. Samara sourit. L'effet souhaité est réussi.

– Par pur hasard, nous avons pensé à cette épreuve. Quelle coïncidence que le nom du club correspond au mets préféré de ma mère ?

Les filles grimacent davantage.

– Ce n'était pas prévu, se lamente Gabrielle.

– Chaque fille qui veut faire partie de notre club, j'ajoute d'une voix autoritaire, doit nécessairement tremper une *chip* tortilla dans la salsa et ajouter une rondelle de jalapeño sur le dessus.

Gabrielle, Charline et Marie-Pier ne s'attendaient pas à devoir subir une épreuve. Elles regardent avec beaucoup de craintes le plateau contenant un bol de jalapeños découpés en larges tranches, un autre de salsa, un gros sac de craquelins et une assiette de fromage en cubes. Moi et Samara remplissons la *chip scoop* de salsa préparée par ma mère et prenons chacune une tranche sous les yeux horrifiés de nos copines. Nous la déposons sur notre croustille. Sans sourciller, nous croquons à belles dents, puis mâchouillons une bonne minute avant de l'avaler. Ensuite, nous croquons un gros morceau de fromage.

– C'est à votre tour, je leur dis en poussant le plateau vers eux. Et surtout, aucun cri ! C'est le prix à payer pour faire partie de notre prestigieux club sélect Salsa et compagnie. Et surtout, n'oubliez pas qu'il faut bien mastiquer le piment avant de l'avaler.

Elles prennent chacune une tranche de piment et se regardent. Elles trempent la croustille dans la salsa et déposent la tranche sur le dessus.

– À go, dit Charline, nous les avalons.

– N'oubliez pas de mastiquer pendant une minute, rappelle Saléna.

Elles s'exécutent. La seconde d'après, elles grimacent. En plus des grosses larmes de crocodile coulant sur leurs joues, des perles de sueur brillent sur leur front, puis c'est la course à la salle de bain pour cracher le morceau dans la toilette. Nous rions de les voir sautiller, se tortiller la bouche sous le robinet et avaler des tonnes d'eau.

– Bienvenue dans le club Salsa et compagnie, dis-je, même si vous n'avez pas tout avalé.

Un jour, elles connaîtront le secret, un secret bien simple. Ne pas mâchouiller le morceau, juste le glisser sur le côté de la bouche, faire semblant de le mâchouiller et l'avaler d'un seul coup, puis manger un gros morceau de fromage la seconde d'après. Ça brûle un peu, mais pas tant que ça. Il faut dire que nous sommes entraînées.

Pour le moment, c'est trop drôle ! Mais, les cris d'une autre personne font ombrage à notre bonheur. C'est notre mère. Elle hurle à tue-tête.

– LES FILLES, CESSEZ CE VACARME IMMÉDIATEMENT ET DESCENDEZ TOUT DE SUITE, ET EN SILENCE À PART DE ÇA !

Chapitre 3

LE JOUR DE L'ÉVÉNEMENT

Jour 0

Ce matin, je constate que le brouhaha des deux journées antérieures s'est essoufflé et qu'un calme relatif s'est installé. Je regarde ma radio réveille-matin. Il est déjà 8 h 38, et ma mère n'est même pas venue nous réveiller à 6 h 30 pour déjeuner et aller à nos cours de natation. « Bizarre ! » je me dis. En fait, pas si anormal. Avec tous les achats que mes parents ont faits depuis deux jours, ils doivent être épuisés et dormir à poings fermés. Ou peut-être pas. J'imagine mon père très inquiet. Depuis quelques jours, il ne parle que d'argent. J'imagine que l'hypothèque combinée de la maison et de son nouvel atelier d'ébénisterie connaît un sommet inégalé. À mon âge, ces soucis financiers passent à des kilomètres au-dessus de ma tête, fort heureusement.

– Oh ! c'est aujourd'hui le supposé jour J, le jour de l'Événement, dis-je en m'étirant et en caressant ma grosse chatte grise Grizouille couchée à mes côtés. Eh, Sam, réveille-toi !

Ma sœur ne bouge pas d'un iota tandis que Grizouille fait de nombreux étirements avant de bondir au sol. Je suis comme ma chatte, j'ai besoin d'étirements, et quoi de mieux que d'effectuer une dizaine de sauts sur mon lit grinçant ? Je m'imagine sur un trampoline. Je saute et, au douzième saut, je me lance en direction du plancher. Ça fait toujours un gros boum à mon atterrissage.

Je compte dans ma tête : « Un éléphant, deux éléphants, trois éléphants… Les jérémiades de maman devraient bientôt retentir », je me dis, et je ris. Je suis tellement habituée d'entendre son ton geignard accompagné d'un crescendo dramatique digne d'un film d'épouvante raté que je souris en me le remémorant : « Salénaaaa, crie-t-elle dans mon souvenir, combien de fois je t'ai dit de ne pas sauter dans la maisooonnnn ! »

« Quatre éléphants, cinq éléphants, six éléphants… Oups ! Elle dépasse le temps habituel. Normalement, elle aurait déjà fini de crier. Sept éléphants, huit éléphants, neuf éléphants… Tiens ! ma mère ne riposte pas. Ce n'est pas normal. » Quelques pépiements d'oiseaux me font cesser mes sautillages et regarder dehors. Le nez collé à la vitre, j'examine les lieux. Les rues sont désertes.

– Wow ! dis-je en me pinçant la joue. Est-ce que je rêve ? Il n'y a personne !

J'examine l'extérieur attentivement. Par-dessus la haie, je reconnais une tête extrêmement bien garnie d'une chevelure noir de jais qui mange un sandwich au beurre d'arachide, probablement à la recherche d'un mauvais coup. C'est mon ennemi juré : Simon. Et qu'est-ce qu'il trouve de mieux à faire par un calme samedi matin ? Je le vois – eurk – glisser son sandwich dans la poche arrière de ses shorts en coton gris, saisir une grosse pierre et se courber. « Hé, le malade qu'est-ce que tu penses faire avec ça ? » Il la lance en direction d'un gros chat roux qui se lèche une patte. « Ouf, le chat l'a échappé belle ! » Fort heureusement, il a décampé avant que le projectile ne l'atteigne.

Je suis rouge de colère et je me dis : « Eille, espèce de deux de pique, dégage ! Attends que je sois dehors pour te botter le derrière ! Bêta ! On n'attaque pas des animaux inoffensifs. Si tu faisais ça à Grizouille, je t'arracherais la peau des fesses, tête à la noix ! »

Je me précipite sur le lit d'à côté. Lorsqu'elle dort, ma sœur a vraiment un visage angélique, avec ses longs cheveux blonds légèrement bouclés et sa bouche vermeille. Au contraire, lorsqu'elle est réveillée, elle est un vrai petit diable, presque aussi démone que moi.

– Samara, réveille-toi ! dis-je en la brassant de tout bord et de tout côté et en regardant le radio réveille-matin indiquant l'heure avec ses gros chiffres lumineux. Il est exactement 8 h 43, et ce débile de Simon est dehors en train de lancer des roches à Caramel, le chat de Charline.

– Eille ! la vieille, laisse-moi tranquille ! beugle ma sœur. J'ai encore sommeil.

Elle se recroqueville et place son oreiller sur sa tête. Elle connaît la suite des événements. Dès que j'entends le mot « vieille », ça vient me chercher et, immanquablement, je saute les plombs. Dès que ce petit mot de deux syllabes pénètre mon conduit auditif et que la membrane de mon tympan vibre, que le marteau s'abat sur l'enclume de mon oreille moyenne et que la cochlée l'envoie à mon vénérable cerveau, j'élève ma main. Normalement, elle atterrit sur sa caboche, sauf que cette fois-ci, comme bien d'autres fois auparavant, je frappe son oreiller. Elle a été encore une fois plus rapide que moi.

Comme d'habitude, elle crie comme un putois piégé même si elle n'a rien ressenti. Puis, normalement, ma mère crie à son tour du rez-de-chaussée de sa voix éternellement fatigante et mélodramatique : « Saléna, cesse de frapper ta jeune sœur. Ah ! celle-là, quand est-ce qu'elle va vieillir ! »

« Toujours le mot *vieille*, eurk ! »

Mais ce matin, Samara a beau s'époumoner et se venger en me tapant avec son oreiller, Mélanie, ma mère, ne riposte pas. Le silence radio. Un peu secouée de ne pas l'entendre, elle saute en bas de son lit. Nous nous regardons avec stupéfaction.

– Il doit se passer quelque chose de grave, dis-je. Je n'entends même pas maman crier.

– T'as raison. Descendons !

Intriguées, nous empruntons l'escalier. Pendant notre descente, nous voyons que, durant la nuit, la maison s'est transformée en magasin général. Chaque caisse est identifiée et numérotée. Le petit téléviseur dans la cuisine est encore allumé, mais la sourdine est activée. Un animateur très sérieux discute avec un groupe de personnes aux visages graves. Ils me font penser à des poissons dans un bocal d'eau qui ouvrent et ferment la bouche.

J'ai presque envie de leur jeter de la nourriture sèche.

La table a été enlevée, et des rangées de nourriture et d'objets de survie sont disposées en trois rangées. Près du réfrigérateur, des caisses de rouleaux de papier d'aluminium sont empilées avec des caisses de bouteilles d'eau.

– Wow ! Jus de betterave, est-ce que je rêve ? je me demande en me pinçant la joue.

– Non, mais je crois bien que nos parents sont devenus fous, constate ma sœur d'un air ébahi en soulevant le couvercle d'une grosse boîte de chandelles pleine à ras bord.

– Des caisses de lait Grand Pré et du jus Oasis. T'as vu ?

– De la nourriture ne nécessitant aucune réfrigération. Je commence vraiment à avoir la trouille. La fin du monde est-elle vraiment proche ? Mais si c'est la fin du monde, on n'a pas besoin de nourriture, non ?

Ma sœur, quand elle est vraiment nerveuse, se met le doigt dans une de ses boucles d'or et commence à la tortiller. Mais ce matin, en plus de se tortiller une boucle, elle se mordille le pouce de l'autre main. Ma sœur panique.

Pour la rassurer, je lui glisse :

– Crois-moi, ils se trompent. C'est arrivé combien de fois, qu'ils annoncent des orages diluviens et qu'il tombe à peine un millimètre d'eau ? Et l'apocalypse du 21 décembre… tu te souviens ?

– Sauf que cette fois-ci, ça semble sérieux ! s'inquiète ma cadette en ne délaissant ni sa couette de cheveux, ni le rongement de son pouce.

– Arrête ! Tu m'énerves quand tu fais ça !

– OK, dit-elle en glissant ses mains derrière son dos.

– On continue.

– OK.

Je longe l'étroit corridor. J'accède au salon, où des tonnes de boîtes de conserve sont empilées. Entre deux rangées, je retrouve ma mère affalée et dormant sur le divan posé de travers. Ses cheveux remontés en queue de cheval ne sont plus centrés sur le dessus de sa tête et son t-shirt blanc a pris une couleur brun poussière. Elle dort, et pourtant, elle a l'air vraiment épuisée. Nous préférons la laisser dormir. Nous marchons sur la pointe des pieds.

– Chut ! Il ne faut pas réveiller l'ourse qui dort, je murmure à ma sœur.

– T'as raison, ricane-t-elle. Allons voir où est notre père !

La situation est encore plus loufoque. Après l'avoir cherché pendant cinq bonnes minutes au rez-de-chaussée, nous descendons au sous-sol. Là aussi, je suis impressionnée par la quantité délirante de produits de toutes sortes incluant une caisse de savon en barre, des produits de nettoyage, de nombreuses bouteilles de peroxyde et des pansements.

– Ma foi, qu'est-ce qui se passe ? Pourquoi toute cette quantité de nourriture et d'articles de premiers secours ? Il y en a pour des années !

– Je n'en sais trop rien.

Finalement, nous le trouvons endormi dans la petite salle de bain du sous-sol, étalé sur le plancher de céramique, couché sur le dos. Un rouleau de papier de toilette lui sert d'oreiller. Nous sommes sûres qu'un beau torticolis l'attend.

D'un commun accord, nous sortons à l'extérieur le plus silencieusement possible. À notre grand plaisir, Simon fait encore le pitre. Il sautille sur une échasse à ressort, son jouet préféré depuis qu'il a 6 ans, même s'il en a maintenant 11. Il est à peine plus vieux que nous, tout au plus trois mois de plus que nous. Le moment est trop tentant. Aucun parent en vue : un temps parfait pour le ridiculiser.

– Hé, Simon, t'as quel âge ?

Distrait, il me regarde et fait un saut à un mauvais endroit. Le bout de son échasse aboutit directement entre l'arête de la chaîne du trottoir et le sol mou. Il tombe face première sur l'asphalte. Il encaisse le coup et se force de ne pas montrer sa douleur, mais je vois bien qu'une bosse est en train de pousser en plein milieu de son front.

J'en ris presque aux larmes de le voir se concentrer à avaler la liste de mots défendus au lieu de me les crier parce que sa mère vient juste d'apparaître dans le paysage.

– Simon, rentre tout de suite ! Je te l'avais dit que tu allais te péter la face avec ce jouet de débile. T'es bien trop grand pour ça ! Range cet objet de bébé au plus vite ! Simon ! Je t'ai dit de rentrer.

Il serre les poings et son visage se plaque progressivement de taches roses et rouges. Sa figure n'est plus qu'un gros litchi. Nous nous retenons pour ne pas rire devant lui. Lorsqu'il disparaît derrière la porte de l'entrée de chez lui, nous nous éclatons de rire.

Revenues de nos émotions, je m'étonne de l'inactivité des gens, mais mon estomac gargouille.

– J'ai deux dollars, je remarque en fouillant dans la poche de ma salopette rose. Et si nous allions nous acheter une friandise ?

Chapitre 4

UNE PETITE GÂTERIE, POURQUOI PAS ?

J'adore la gomme à mâcher et les friandises au chocolat. Pendant que mes parents sommeillent, je veux en profiter pour faire ces achats défendus. Déjà, j'en bave de joie.

– Il n'est pas un peu tôt pour manger des cochonneries ? demande ma sœur.

– Pourquoi ?

– On risque de se faire chicaner, dit-elle en marchant derrière moi.

– Qui n'essaie rien n'a rien !

Je me dirige vers la rue commerciale du district 2 de la municipalité. À Saint-Parlinpin, la ville est divisée en 8 districts. Le district 2 se trouve à l'extrême sud, à la bordure d'une forêt protégée par une loi instaurée par mon père et portant un nom très recherché : Naïades. Apparemment, c'était le nom qu'on donnait aux filles de Zeus, d'éternelles baigneuses.

Mon père a eu cette inspiration lors d'une exposition au Musée des Beaux-Arts de Montréal. Il a été sidéré par la beauté des œuvres du peintre Waterhouse, surtout celle portant le nom de Naïades. Moi, je ne suis pas trop impressionnée par son choix. Ce mot me rappelle trop le mot « nayade », dit par un jeune enfant essayant de prononcer noyade.

Une belle affiche a été posée à l'entrée et montre trois belles jeunes filles nues dont l'abondance surnaturelle des cheveux couvre les parties stratégiques de leurs magnifiques corps de déesses. De jolies nymphes.

Eh oui, lui, le fervent défenseur de la nature, est ébéniste, un grand utilisateur de bois et par le fait même un assassin de ces magnifiques feuillus. Pauvre papa ! Que de contradictions !

Abattre des arbres pour construire une commode. Il devrait utiliser du plastique, de l'acier, ou pire, des panneaux d'aggloméré ou recyclés, mais pas des arbres tués pour une table à café. Il n'aime vraiment pas que j'aborde ce sujet. Pauvre papa!

Enfin, nous voilà arrivées à la rue Sainte-Catherine, comme la rue Sainte-Catherine à Montréal, sauf que celle-ci n'a que quelques magasins, un dépanneur, un café Second Cup, une pâtisserie, une boulangerie et deux épiceries qui se concurrencent l'une en face de l'autre.

Je fais le saut en voyant que les commerces sont fermés. Je regarde ma montre.

– Hein? Il est 9 h 12 et le dépanneur est fermé. Bizarre, lui qui ne ferme que quelques heures la nuit.

Ma sœur et moi examinons les environs. À l'exception des chats et des chiens errants, pas âme qui vive dans les rues. Je commence à croire que l'apocalypse annoncée est bel et bien supposée arriver aujourd'hui.

– Coudons, dis-je, il n'y a personne. À quelle heure est-ce que c'est supposé arriver ?

– Quoi ? demande ma sœur.

– L'Événement ?

– À 13 h 13, répond-elle. Je crois qu'on devrait ren…

Samara n'a pas le temps de terminer sa phrase que des grands cris de panique retentissent. C'est notre mère qui parcourt les rues en courant et en hurlant nos prénoms comme une hystérique. Elle vient juste de tourner le coin de la rue et arrête de galoper en nous voyant. Elle est à environ une centaine de mètres de nous. Wow ! elle est rouge comme une tomate, à l'exception de grosses traces noires de mascara sous ses paupières inférieures. Elle ferait une concurrence tout à fait déloyale à un épouvantail de jardin avec sa queue de cheval décoiffée, ses pantalons froissés et son t-shirt empoussiéré. À l'instant même, une volée d'oiseaux sur les fils électriques déguerpit en piaillant.

– On s'en vient, répondons-nous en chœur.

Nous marchons vers elle. De ses gros yeux cernés, elle nous envoie des éclairs.

– Qu'est-ce qui vous a pris de vous éloigner de la maison ? demande-t-elle dès que nous sommes à quelques centimètres d'elle.

– Rien, maman, je réponds.

Après un long soupir lâché d'un seul trait, elle nous demande de passer en avant d'elle, comme pour s'assurer qu'on ne cherchera pas à disparaître à nouveau. Samara me fait remarquer un phénomène bizarre. Les gens scellent les fenêtres avec du papier d'aluminium.

– Poils de chameau ! Mais pourquoi font-ils ça ?

– Allez ! dit-elle au lieu de répondre.

– Y a-t-il des martiens qui s'en viennent ? insiste ma sœur, qui se souvient d'un vieux film où les gens s'enroulaient du papier d'aluminium sur la tête pour empêcher les extra-terrestres de manipuler leur esprit.

Ma sœur panique. Elle recommence à rouler une mèche de cheveux autour de son index.

– Ce sont des mesures de précaution, répond ma mère d'un ton las. Contre les ondes.

– Les ondes des martiens ? dis-je en paniquant à mon tour.

– Ben non, dit ma mère désespérée. Un des grands spécialistes a dit que ça pourrait atténuer les ondes. Vous n'avez pas écouté les nouvelles ?

Oh, un spécialiste ! C'est ça. Je ne sens pas rassurée. Plus tu es spécialiste, moins il y a des chances que ce que tu dis soit bon. Le dernier spécialiste qui est passé chez nous pour vanter les merveilles d'un aspirateur, il s'est fait rabrouer par ma mère assez rapidement. Il voulait nous vendre un aspirateur alors que nous n'avons pas un petit bout de tapis chez nous.

D'après moi, un spécialiste, c'est un autre mot voulant dire vendeur, sauf que ça sonne mieux que vendeur. Comme les papiers d'aluminium ne se vendent pas bien ces jours-ci à cause des sacs Ziploc, eh bien, un petit futé mousse les avantages du papier d'aluminium ! Trop marrant ! Se protéger contre les ondes avec de l'aluminium, et ma mère croit ça, et... mon père va sûrement les poser... brrrrr!

– Bien sûr que oui, m'an! L'expert a toujours raison. Mais m'an, tu ne vas pas croire ces balivernes! Surtout venant de si grands spécialistes, j'ironise.

Ma mère, qui a repris des couleurs naturelles, lâche un énorme soupir. Je ne l'ai jamais vue si inquiète. Je ferais mieux d'y aller mollo. Vite, il faut que je corrige mon tir.

– D'accord! Les gens à la télé n'arrêtent pas de parler d'une catastrophe. Mais de quoi ça va avoir l'air? je lui demande, comme pour lui montrer mon intérêt et la rassurer.

Ça marche. Elle me regarde d'un air compatissant.

– Pour l'instant, on n'en sait trop rien, répond ma mère.

En arrivant près de notre maison, nous constatons que nos voisins sont en train d'installer du papier d'aluminium dans chacune des fenêtres, côté intérieur de la maison, tout comme... mon père. Zut! Lui aussi. Ni moi ni ma sœur n'avons envie d'entrer dans cette résidence aux ouvertures aluminées.

– Maman, je ne rentre pas dans cette maison de fous ! hurle ma sœur.

– Moi non plus ! dis-je en croisant les bras au-dessus de mon nombril.

Je n'ai jamais vu ma mère redevenir si rouge aussi vite. En l'espace de deux secondes, sa figure devient cramoisie. Ses yeux d'un bleu soutenu sortent de ses orbites en tournant dans tous les sens. Je vous le jure. Pour la première fois de ma vie, je vois son aura, et ce n'est pas très beau. Une aura noire, un genre d'auréole de nuages noirs entourés d'éclairs. En plus, un jet de vapeur sort à l'horizontale de chaque côté de ses oreilles, comme ceux que les illustrateurs de bandes dessinées dessinent pour indiquer que la personne est réellement, réellement, réellement fâchée.

Voyant notre protestation commune, elle n'hésite pas une seconde et utilise un moyen très convaincant pour nous contraindre à la suivre : elle saisit mon oreille gauche de sa main droite et de l'autre main, l'oreille droite de ma sœur. Elle est comme une machine en furie. Elle se remet en marche. C'est en criant et en implorant qu'on la convainc finalement de nous relâcher.

Nous rentrons à l'intérieur, et je constate que je ne sens plus mon oreille gauche. Convaincue de son décollement, j'appose ma main à cet endroit. Ouf ! Elle est encore là. Je suis soulagée. Elle a résisté à la force herculéenne exercée par ma mère. Mais hélas ! Elle ne semble pas sur le point de dérougir, pas mon oreille, je veux dire ma mère.

Respiration haletante, mains sur les hanches, elle nous regarde comme si nous avions commis un crime. C'est là que je comprends qu'elle s'est retenue de nous réprimander à l'extérieur, mais maintenant que nous ne sommes plus sous le feu des projecteurs de nos voisins, elle est libre de nous gronder.

– Voulez-vous me dire ce qu'il vous a pris de sortir ? Hier, on vous a répété moult fois de rester dans la maison, crie-t-elle pour couvrir le son de la télévision qui a repris de la vigueur.

Moins de quatre heures, crache l'animateur. Mon père arrête ses travaux pour écouter avec attention les dernières informations. Ma mère se retourne vers le téléviseur et se fige comme la femme de Loth dans la Bible, celle qui s'était retournée alors qu'elle ne devait pas se retourner. Cette femme connue sous le prénom de son mari, et non du sien, fut transformée en statue de sel, exactement comme ma mère, maintenant métamorphosée en statue de pierre. Elle ne bouge plus, hypnotisée par cet animateur qui poursuit son discours alarmiste.

Nous ignorons encore l'amplitude qu'aura cette tempête, ainsi que sa durée. Les services de l'ordre annoncent que le trafic aérien mondial est arrêté depuis trois heures. Les activités aéroportuaires reprendront leur rythme normal dès que tout danger sera écarté. Nous recommandons à tous les voyageurs de n'effectuer aucun déplacement en direction de l'aéroport. Je répète. Nous recommandons à tous les voyageurs de n'effectuer aucun déplacement. Vous devez rester chez vous ou retourner à votre lieu de séjour. Les services de métro et de train seront interrompus à partir de 13 h. Je répète que le mot d'ordre est de rentrer chez soi et d'y demeurer.

« Oh ! là ! là ! qu'il peut être assommant, ce journaliste ! » je me dis.

Les experts scientifiques — tiens ! un autre mot signifiant spécialiste, c'est-à-dire, vendeur de bébelles — *prédisent que la tempête touchera terre dans un peu moins de quatre heures. Toutefois, nous ignorons toujours sa puissance. Les autorités vous demandent de rester calmes et à l'intérieur de vos résidences et de vous éloigner le plus possible des fils électriques et des transformateurs. Hydro-Québec annonce que le service sera mis hors tension à 13 h 11 et que l'électricité sera remise sous tension dès que tout danger sera écarté. La tempête devrait toucher terre d'ici peu.*

Consternés par ces messages inquiétants, mes parents quittent leur position de pierre. Ma mère roule une mèche de cheveux tandis que mon père ronge son index, tous deux comme

Samara. Pas trop difficile de déterminer la provenance de ces manies de ma sœur.

Fatiguée d'entendre cet animateur pessimiste, je donne un coup de coude à Samara. Nous quittons le salon à pas de loup, direction notre chambre.

Malgré une journée superbe, notre chambre est plongée dans le noir parce que notre stupide de père a déjà recouvert la fenêtre d'une pellicule d'aluminium. J'allume les lumières.

– T'as vu, dit ma sœur. Je crois qu'il y a un vent de folie qui s'abat partout. Je veux dire sur toute la planète.

– C'est aussi ce que je pense. Il fait drôlement chaud avec la fenêtre fermée. Alors qu'est-ce qu'on fait ? On n'est pas pour s'ennuyer à quelques heures de la fin du monde et mourir ici. Et puis, je m'ennuie déjà de notre club.

– Ouais ! Je te propose d'y aller mollo. Nous avons encore quatre heures à tuer avant la fin du monde.

Je ris de sa plaisanterie. Tout comme elle, je ne crois pas à cette apocalypse.

– Et je n'ai pas envie de mourir en pleine noirceur, badine-t-elle.

Elle ouvre un battant de la fenêtre, et une bonne bouffée d'air et une intense luminosité de soleil pénètrent à l'intérieur.

Chapitre 5

LA FUITE

Nous essayons de nous divertir, moi en lisant un livre, Samara en dessinant. Peine perdue. Je n'ai pas la tête à lire. Je sors même des jeux de société. Scrabble, vite écarté. Bingo avec Caillou, trop enfantin, Pique Plume, même catégorie. Finalement, j'attrape un livre-jeu. «Ouain, trop *cool*, ces livres de *Où est Charlie*». Je suis toute concentrée pendant que je le cherche dans des paysages d'hiver lorsque des cris retentissent.

– Samara, Saléna, c'est le temps de venir manger.

Je regarde ma montre : midi à peine dépassé. Ma mère est encore en mode panique. Dans ces moments-là, il n'y a qu'une option valide à son mode d'emploi parental : elle crie. Alors, il vaut mieux se montrer docile. Nous descendons et nous nous assoyons à table. Elle plante devant nous un gros bol de soupe minestrone. Pas encore cette soupe avec plein de légumes et de haricots ! J'avale ma soupe avec une lenteur désespérante. Je bouge avec frénésie ma jambe droite dans un mouvement perpétuel de pendule, ce que je fais toutes les fois que les choses m'ennuient.

– SALÉNA ! ARRÊTE ! hurle ma mère.

Oups ! Ça y est, mode panique niveau 8, le niveau démentiel. Deux niveaux de plus et c'est le niveau où tout explose. Il ne faudrait surtout pas qu'elle s'emballe et atteigne ce niveau. Une maman qui explose, ça transforme votre journée. Je n'ai surtout pas envie qu'elle me dise d'aller réfléchir dans ma chambre, quoique je pense qu'on n'aura pas trop le choix en attendant l'Événement. Je cesse mon mouvement perpétuel de jambe.

– C'est peut-être notre dernier repas chaud pour un bon bout de temps, ajoute-t-elle avec des trémolos dans la voix.

– M'an ! Tu ne vas quand même pas croire à tous ces ragots, je riposte.

– PHILIPPE, DIS QUELQUE CHOSE ! LES JUMELLES ME DÉSESPÈRENT, vocifère-t-elle.

Mon père lève les yeux vers nous. Nous sommes pour lui ses princesses, deux petites diablesses merveilleuses et amusantes, contrairement à ma mère, qui nous considère des jumelles tout simplement étourdissantes.

– Écoutez votre mère, dit-il tout simplement. Et toi, Saléna, montre-toi raisonnable.

Raisonnable. Ouache ! Je dois me montrer raisonnable. Savez-vous pourquoi ? Parce que je suis née 12 minutes et 28 secondes avant ma jumelle. Ma très, très, très chère mère considère que je dois être la plus raisonnable des deux, question d'établir une hiérarchie. Et mon père ne fait que le répéter. Brrrrr !

De fait, je me demande bien l'intérêt d'enregistrer l'heure de la naissance d'une façon aussi précise. J'imagine chaque salle d'accouchement équipée d'une horloge à la précision d'un centième de seconde, comme celle qui enregistre les records olympiques. Une infirmière aux yeux rivés sur ladite horloge, que je suppose atomique, n'ose pas ciller afin d'affirmer avec le plus d'exactitude possible le centième de seconde exact de la naissance.

D'après moi, la date du 7 août devrait suffire. Pas besoin de savoir que je suis née à 18 h 37 et 11 s et ma sœur, à 18 h 49 et 39 s. L'ordre de naissance a-t-il une importance ? Était-ce une compétition olympique ? Hourra ! J'ai traversé la ligne d'arrivée dans ce monde merveilleux la première avant Samara. Hourra ! J'ai gagné la médaille d'or. Et, puis après ? Dans 3 semaines et demie, j'aurai 11 ans, représentant 4 018 jours de vie en comptant les années bissextiles, ou si vous voulez le savoir en heures, ce sera 96 432 heures. Si nous le fêtons à 18 h précisément, ça fera en minutes au-delà de

5 785 920 belles minutes pour moi. Alors, ne me dites pas que ce petit écart de 12 minutes et 28 secondes est si important !

Oh ! C'est bien trop vrai, ma fête est dans trois semaines. Yé ! Je me demande bien ce que nos parents prévoient comme surprises.

Pour l'instant, la surprise, c'est cet Événement. Et je commence à avoir des papillons dans l'estomac. Brrrr !

– Allez, les filles ! Finissez cette soupe ! ajoute-t-il.

Beurk ! C'est tout ce qu'il trouve à me dire. « Finissez cette soupe ! » Pauvre papa, elle est dégueulasse, cette soupe ! Je grimace en prenant une autre cuillerée. Les morceaux de carotte ne passent pas. Je crois que la panique est communicative.

– Je n'y arrive pas, que je dis.

– Moi, non plus, annonce ma sœur. Est-ce que je peux monter à ma chambre ?

Fort heureusement, 90 % du temps, Samara ne se formalise pas trop de cette hiérarchie et appuie mes revendications. Jumelle un jour, jumelle toujours. À deux, nous formons une belle équipe pour vaincre le mal, vaincre les gars, dont un en particulier, notre voisin Simon. Justement, je me demande bien ce qu'il mijote présentement, ainsi que notre gang de filles.

– Oui, soupira ma mère en regardant l'heure. Soyez sages ! Que je ne vous entende pas sauter sur les lits. La tempête va frapper dans 23 minutes.

– T'inquiète pas, dis-je en m'essuyant la bouche.

Je monte deux par deux les marches de l'escalier et, aussitôt dans ma chambre, je regarde par le battant ouvert. Dehors, Simon attaque Hugo avec un fusil à l'eau. Un peu plus loin, Charline sautille à la corde à danser.

Quoi ? Ils ne sont pas enfermés dans la maison. Mon âme crie : « INJUSTICE ! » Samara se joint à moi et comprend ma frustration.

– Hé, les autres sont dehors ! Je crois que notre mère exagère, comme d'habitude. Est-ce que tu sais ce que j'ai envie de faire ? demande ma jumelle.

– Ouais. Arroser la belle caboche de Simon avec nos super fusils à l'eau Water Warrior, je rigole.

– En plein ça, dit-elle en présentant sa main pour que je tape dedans.

C'est ce que je fais. Je tape sa main.

– Mais comment sortir d'ici ? Notre mère nous le défend, dis-je.

– Je connais un moyen que je ne t'ai jamais dévoilé.

– Ah oui ?

– Ouais ! T'as jamais compris comment je faisais pour apparaître derrière toi alors que tu avais barré les deux portes du rez-de-chaussée.

– Non, tu m'as toujours impressionnée. J'ai cru longtemps que tu passais par une fenêtre du sous-sol.

Elle rit.

– Elle est bonne, celle-là. Par une fenêtre ! Hé non, je rentrais comme tout le monde par une porte.

– Mais laquelle ?

– Je ne te le dis pas.

Je déteste ma sœur lorsqu'elle se convainc de me faire marcher.

– Allez, sois *cooool* ! Tu vois bien que nous sommes dans une situation hors de l'ordinaire. Dans quelques minutes, ce sera la fin du monde.

Elle ne bouge pas d'un iota. Elle m'enrage. C'est comme si elle me montrait un bonbon et ne me le donnait pas. Brrr ! Mais je vais me montrer plus rusée qu'elle. Sur un ton mielleux, je lui soumets une intéressante proposition :

– Et si je te donnais mon 10 dollars d'argent de poche pour que tu me le dises ? Ça fait des semaines que tu veux t'acheter de la peinture acrylique.

– Hum ! Je me demande… parce que si je te le dis… c'est fini pour moi. Plus moyen de te surprendre.

– J'augmente le prix. Deux gros billets de dix dollars. Qu'est-ce que tu en penses ?

Par les fenêtres, on entend les cris d'Hugo et des parents qui font un dernier appel.

– On va être enfermées ici des heures, dis-je pour lui mettre de la pression. Ce serait chouette si on pouvait se dégourdir les jambes quelques minutes avant… le fameux Événement.

Elle soupire et lance :

– D'accord ! Au point où nous en sommes, je vais te le révéler.

Elle garde une minute de silence comme si ce secret était la chose la plus difficile à dévoiler.

– Le balcon, finit-elle par lâcher.

– Qu'est-ce qu'il a, le balcon ?

– Ben, tu ne comprends pas ?

– Non.

– Tu sors sur le balcon, tu enjambes la balustrade, tu marches sur l'avant-toit vers l'arrière et là, une super échelle naturelle nous attend. Voilà !

– Tu veux dire la vigne aux larges feuilles vertes ?

– Ben oui, c'est une échelle parfaite. Tu peux monter ou descendre. Voilà, je viens de te dévoiler mon secret. J'espère que tu sauras te fermer le bec et ne jamais le dévoiler à nos parents.

– Oh que non ! dis-je.

Bien droite, je lève la main droite en signe de promesse et ajoute :

– Croix de bois, croix de fer, si je mens, je vais en enfer. Moi, Saléna, je promets de ne révéler à personne ce secret.

– Bien, qu'est-ce qu'on attend ? Allons-y ! Remplissons nos fusils et filons tout doucement.

– Crois-tu qu'on devrait appeler les autres ? je demande.

– De notre club, tu veux dire ?

– Ouais !

– Pas cette fois-ci, répond ma sœur. Elles doivent être encabanées, et si nous sommes trop nombreux, ça risque d'attirer l'attention des adultes et de nuire à notre mission.

– Ouais, t'as bien raison ! je rigole.

Sans faire de bruit, nous remplissons d'eau nos fusils de plage dans la salle de bain et traversons le corridor. Nous accédons au boudoir, puis au balcon. J'enfile la balustrade et suis ma sœur sur l'avant-toit incliné. Nous arrivons à l'extrémité arrière de la maison.

Agile, elle allonge sa main gauche et saisit une liane, puis elle glisse son pied gauche sur une solide branche. Elle ramène son poids sur ce pied et son autre pied se pose à côté. Puis, bien collée contre la vigne, elle glisse son pied gauche plus bas dans un autre interstice de cette paroi feuillue et descend rapidement en ayant une main libre seulement. Je suis impressionnée par son habileté.

Tout me semble facile, sauf que je suis droitière et qu'elle est gauchère. Je passe l'arme à droite et agrippe une tige qui me semble bien accrochée au parement de la maison. Bravo ! Elle tient. Je pose mon pied sur ce qui semble solide. Erreur ! Je n'ai même pas le temps de positionner le pied à une liane solide que je dégringole.

Comble du malheur, mon pied reste accroché à l'autre branche. Je bascule et je me retrouve la tête en bas. Je hurle de surprise avant d'être libérée des lianes et de tomber avec fracas en laissant tomber mon fusil.

Allongée sur le dos avec une chaussure en moins, j'ai encore envie de hurler. Ma sœur plaque une main sur ma bouche et je comprends. Évitons d'avertir nos parents. Elle se relève et me tend un bras. Je me mords la lèvre inférieure et je saisis sa main. Une fois debout, je constate que je n'ai qu'une insignifiante douleur au bas du dos. Elle ricane en sourdine.

– Samara, va chercher mon soulier ! dis-je en m'étirant le bras pour reprendre mon fusil tombé à quelques centimètres de moi.

Elle décroche mon soulier ballerine. Je l'enfile. En relevant la tête, j'aperçois Simon. Il est déjà dans notre cours et m'arrose généreusement. Il a dû nous repérer en m'entendant hurler. Ensuite, il traverse la haie de thuyas, là où il y a un trou entre son terrain et le nôtre.

Samara riposte immédiatement, et moi, j'active mon arme. Les puissants jets d'eau froide nous font crier plus de surprise que de douleur. Nous nous amusons follement par cette chaude journée d'été.

J'entends des mères criailler de rentrer. Elles hurlent et leurs cris me font penser à des sirènes de la Deuxième Guerre mondiale que j'ai entendues dans des films, des sons longs et désagréables. Mais Samara, Simon et moi, nous nous donnons à cœur joie. Nous sommes complètement trempés et nous rions de bon cœur. Mon fusil est presque à sec. Nous tournoyons autour d'un poteau électrique. Je braque mon arme et j'appuie. Un puissant jet d'eau gicle vers le haut, vers le transformateur. Des grésillements inquiétants au-dessus de nos têtes se font entendre, et une quantité incroyable de boules de feu jaillissent et tombent sur nos têtes.

J'imagine l'eau de mon fusil joindre ces points lumineux comme un tracé au crayon reliant les points chiffrés d'un dessin. Un puissant arc de feu éblouissant se produit, liant chacun de nous. Mes bras vibrent et une douleur insupportable m'envahit. Elle se répand dans tout mon corps. Des spasmes m'empêchent de crier et je ne vois pas la fin de cette douleur. Le sol est terriblement chaud. J'ai l'impression d'être connectée à la terre. L'immense arc lumineux entourant Simon, Samara et moi ne semble pas faiblir d'intensité. Nous formons une entité. Une paire de bras derrière moi se joint à nous. Elle essaie de m'étriper ou de briser ce cercle lumineux. Ça ne semble pas être un succès. La personne hurle autant que nous.

Le cercle est de plus en plus intense et j'ai l'impression de flotter ou de voler. Le ciel se rapproche et s'ouvre. Nous traversons une immensité bleuâtre en suivant un fil d'argent à une vitesse incroyable. Je me sens loin, loin, loin de la terre. Nous atterrissons. Je me sens comme dans une autre galaxie, comme sur une autre Terre. Tout autour de nous, les paysages sont bizarres. Puis, des centaures, des fées, des sorciers et bien d'autres personnages étranges surgissent devant nous comme par magie. Ils nous dévisagent si froidement que j'en ai la chair de poule. Je me demande à quoi tout ça rime. Soudainement, l'arc est rompu, et un voile noir obscurcit ma vue pendant que nous tombons dans le vide.

Chapitre 6

LE RÉVEIL

LE LENDEMAIN DE L'ÉVÉNEMENT

Jour 1

Je me réveille dans une chambre toute blanche, toute petite. Je soupire de satisfaction. Je suis bien vivante et je suis encore sur une terre que je connais. Ma sœur repose dans un lit adjacent. J'examine les lieux. Nous sommes dans ce qui semble être un hôpital, mais pas tout à fait. Je n'entends pas le brouhaha habituel d'un hôpital. De plus, les lieux me semblent familiers. Et pourquoi un pupitre est-il dans la pièce ?

Une distance d'à peine 30 centimètres nous sépare l'une de l'autre. Tout comme moi, elle est branchée à un système de perfusion. Je vois une goutte descendre à chaque seconde dans un long tube de plastique. Ma mère et mon père sont endormis et affalés au pied de nos lits, elle dans un fauteuil, lui sur une chaise droite.

– Maman ! dis-je.

Bizarre, ma voix est si faible et si lointaine que je m'en étonne.

– Hum ! Hum ! Maman, fis-je en me raclant la gorge.

Constatant la faible amplitude de ma voix, j'essaie de me lever et là, je remarque de larges marques d'ecchymoses sur mes bras. J'essaie une autre fois, mais tout tourne autour de moi et mon cœur bat la chamade.

Ma mère se retourne dans le fauteuil en similicuir et un petit bruit de succion de sa peau contre cette matière plastique se répand dans les lieux silencieux. Elle gémit. Elle ouvre à demi les yeux. Elle a un bras ankylosé. Elle se frictionne, puis referme les yeux. Elle se repositionne. Sommeillant à demi et les paupières fermées, elle continue de frictionner son bras ankylosé.

Je réussis cette fois-ci à projeter un « maman » assez fort. Comme piquée par une abeille, elle se redresse, ouvre grands les yeux et me fixe.

– Mon bébé ! crie-t-elle après un décalage de quelques secondes nécessaire pour analyser la situation.

Aussitôt, Samara commence à remuer et à ronchonner.

– Philippe ! hurle ma mère. Les jumelles sont réveillées !

Maintenant, je reconnais mieux les lieux. C'est la clinique de Saint-Parlinpin, où mon médecin de famille nous reçoit pour nos vaccins. Je reconnais les différentes affiches de l'œil et du corps humain accrochées sur les murs.

– Maman, qu'est-ce qu'on fait ici ? je demande, étonnée d'être dans la salle d'examen transformée en chambre.

– Vous avez été foudroyés, toi, Samara, Simon et Maxime.

– Maxime n'était même pas dehors, je riposte.

– Si, il a même essayé de vous séparer lors de votre foudroiement.

– Heureusement, ça a marché, ajouta mon père. À mon avis, il a fait preuve d'une grande générosité et de bravoure. Je crois bien qu'il vous a sauvés d'une mort certaine, vous trois.

– Si ç'a marché, pourquoi nous sommes ici ? demande la cadette.

– Vous oubliez, répond ma mère, que vous avez reçu une décharge électrique. Vous jouiez avec de l'eau près d'un transformateur lorsque l'orage magnétique est arrivé. Par un curieux phénomène inexpliqué, les séquelles sont, d'après le médecin de garde, très minimes. Normalement, vous auriez dû…

– Quoi ? Mourir ? je demande.

– Oui. C'est un miracle, mes bébés, dit-elle en pleurant.

Jamais elle n'a paru aussi heureuse de nous voir aussi pétantes de santé. Pétantes est bien le mot que je ressens. J'ai la tête qui veut exploser et je me sens fiévreuse.

– Maman, quand penses-tu qu'on va sortir d'ici ? demande Samara.

– Dès que nous aurons l'autorisation du médecin, répond papa.

– Et la tempête ? je demande.

– Elle a eu lieu, quelques minutes avant son temps. Hydro-Québec était probablement sur le point de couper l'électricité, mais l'orage est arrivé avant, trois minutes avant son temps, à 13 h 10. C'est pour ça que vous avez été foudroyés, dit mon père.

– Vous voilà bien punies de nous avoir désobéi, dit ma mère. Jouer dehors sous les fils électriques et avec des fusils de plage.

Mais les regrets ne peuvent rien y faire. Ce qui est fait est fait.

– Quelle heure est-il ?

– Il est 10 h 38, dit mon père.

– Du matin ! ?

– Mais bien sûr, répond-il.

Je vois bien par l'étroite fenêtre de la pièce qu'il fait jour. Je ne comprends pas. L'accident est arrivé vers les 13 heures. J'essaie de comprendre lorsque ma sœur livre plus vite que moi le fond de ma pensée :

– Hein ? L'heure a reculé ?

– Non, c'est plutôt vous qui êtes ici depuis 19 heures, indique papa.

– Et on attend quoi, là ? je demande en montrant mon impatience de quitter les lieux.

– On attend qu'on nous dise que vous pouvez sortir, répond ma mère désespérée de tout répéter. Le médecin de garde est dans les environs. Philippe, va donc le chercher pendant que je reste près d'elles.

Cinq minutes plus tard, un homme bedonnant aux cheveux très courts et portant des lunettes à monture métallique carrée entre dans la pièce. Ce n'est pas trop tôt, parce que j'ai drôlement faim et j'ai hâte de manger quelque chose de substantiel.

– Comment vont les malades ? demande-t-il sans laisser mes parents répondre quoi que ce soit.

Déjà, il glisse son stéthoscope froid sur ma poitrine, regarde le blanc de mes yeux, examine chacun de mes conduits auditifs, me dit de lui tirer la langue et, finalement, appuie deux doigts sur mon poignet tout en regardant sa montre. Puis, il fait la même chose à ma cadette.

– Je ne vois rien d'anormal à part cet œdème. Elles devront prendre beaucoup d'eau et bien se reposer une journée ou deux. Et ne pas s'exposer au soleil pour quelques jours. Tout devrait rentrer dans l'ordre. C'est miraculeux que tous les quatre aient survécu à cette électrocution. Et si elles se sentent assez fortes, vous pouvez quitter les lieux.

– Je vous remercie, docteur Boivin, s'enthousiasme mon père. C'est une bonne nouvelle.

– Oui, c'est un vrai miracle ! Alors, les filles, vous sentez-vous assez bien pour marcher ? nous demande-t-il.

– Vous croyez ? s'étonne ma mère. Vous ne voulez pas les garder en observation plus longtemps ?

– Je ne vois pas pourquoi je devrais les garder ici. Elles semblent lucides et l'accident semble n'avoir entraîné aucune séquelle chez elles. Rien ne les retient ici à moins qu'elles se sentent trop faibles.

Il nous enlève les solutés et nous met un pansement à l'endroit où était insérée l'aiguille. Je me relève et je fais quelques pas chancelants. Malgré mon mal de tête, je me sens assez forte pour quitter l'endroit. Puis, docteur Boivin nous salue et va à la chambre voisine.

Pendant que nous continuons à convaincre nos parents que tout va pour le mieux, j'entends les frustrations de Simon d'être enfermé dans une salle d'examen.

– M'an, je vais trrrrès bien ! prononce-t-il d'une voix forte. Je veux m'en aller !

Chapitre 7

UNE BALADE DANS UN VÉHICULE ÉTONNANT

Sous un ciel partiellement couvert, je redécouvre une ville silencieuse, sans trafic, sans musique, sans air conditionné et sans construction. Je n'entends que les oiseaux pépiant et le vol de quelques moustiques. Leurs chants me déstabilisent.

Je ne suis pas revenue de mes émotions que je vois un objet près de la porte d'entrée. Je crois bien le reconnaître. Que fait cet objet devant la clinique ? Un objet nous appartenant et qui est situé ici à trois kilomètres de notre résidence. Il s'agit bien de notre grosse brouette de jardin en plastique vert, celle qui sert à déplacer de la terre et des détritus organiques. Elle est postée à côté du trottoir. Une couverture rose à pois blancs couvre le fond de ce véhicule monocycle.

– Mais qu'est-ce que fait ma couverture préférée dans cette saleté de brouette ? je demande d'une voix horrifiée.

– C'était le seul moyen de transport que nous avons trouvé pour vous transporter, répond mon père.

– Eurk ! crions ma sœur et moi en chœur.

– On a traversé toute la ville dans cette saleté ? j'ajoute.

Au même moment, Simon et Maxime sortent de l'immeuble. Ils ont l'air de morts-vivants. Et tout comme nous, ils sont étonnés par ce calme surnaturel des environs. Mes parents saluent les Marceau et les Deschamps.

– Allez, viens Simon, dit Françoise, sa mère. Te sens-tu assez fort pour marcher ?

– Euh ! Pas trop sûr que je vais marcher trop longtemps.

– Veux-tu t'asseoir sur ça ? demande Matthieu, son père, en lui pointant une vieille brouette tout en bois datant d'un siècle passé.

– Hein ? Non merci ! Pas dans ce tombeau ouvert, dit Simon.

Peinte en rose avec de grosses fleurs rouges et blanches, cette vieille antiquité est la fierté de Françoise, qui la repeint avec soin chaque année. Tous les étés, elle décore la plate-bande avant avec cette brouette antique recouverte de pots en métal remplis de fleurs impérissables, immortelles et éternellement resplendissantes qui ne sont rien d'autre que des fleurs de plastique et qui nous font rire, ma sœur et moi.

– Ben, on n'a pas trop le choix, dit Matthieu. Nous sommes arrivés à pied et nous devons nous en retourner à pied.

– Et moi, papa ? demande Maxime, qui est blanc comme un drap.

Monsieur Deschamps pointe un fauteuil sur chariot de jardin placé à quelques mètres de l'entrée.

– Quoi ? Tu m'as amené dans ça ?

– Oui, mon garçon. C'était la seule chose que j'avais pour te transporter.

Maxime fixe son moyen de transport. Il ajoute d'une voix faible :

– Je me sens étourdi, m'an. Comme je suis arrivé avec ça, je crois que je vais retourner à la maison de la même manière.

Ne se sentant pas trop bien, il grimpe dans le chariot et s'assoit dans le fauteuil.

Notre sauveur a l'air d'un pauvre roi déchu. J'ai presque envie de pleurer. Moi non plus, je ne me sens pas si forte que ça. Mais je ne veux pas être dans la grosse brouette de mon père.

– Quoi ? Il faut se taper tout ce chemin ? dis-je en sanglotant presque. *No way* !

– Ma princesse, dit mon père, nous n'avons pas le choix. Depuis hier, plus rien ne fonctionne.

– Comment ça, plus rien ne fonctionne ? s'étonne Simon.

– Rien, dit Matthieu, nous n'avons plus d'électricité. Allez, marchons.

– Maiiiisss, gueule le jeune réchappé, les voitures ne fonctionnent pas à l'électricité !

C'est à ce moment-là que je comprends la raison de ce silence surnaturel. Aucun moteur électrique ne ronronne, aucune radio ne diffuse de la musique, aucun filtre de piscine n'émet de bruit, mais quelque chose cloche. Pourquoi les véhicules à essence ne fonctionnent-ils pas ? Malgré ce fait incongru et incompréhensible, je comprends qu'on ne peut pas appeler de taxi et qu'aucun moyen de transport motorisé ne nous viendra en aide. Je soupire. La marche sera longue.

– Marchons, dit ma mère. Nous allons tout vous expliquer en rentrant.

Comme des zombies, nous entreprenons notre marche. Maxime se fait tirer par son père tandis que sa mère, derrière, s'assure de la stabilité du fauteuil. Elle équilibre le siège plus large que le chariot en l'immobilisant de ses deux mains. Matthieu empoigne la brouette antique et mon père, la grosse benne. Nous peinons à marcher aussi vite que nos parents et je redoute qu'ils veuillent nous installer dans cette ordure si nous n'accélérons pas le pas.

– Toute la Terre est privée d'électricité ? demande Samara d'une voix fatiguée.

– Peut-être bien, répond ma mère. Tout ce qu'on peut dire, c'est que vous l'avez échappé belle. Aucun appareil de réanimation cardiaque et respiratoire ne fonctionne, pas d'électricité, pas d'automobile…

– Mais… les voitures fonctionnent à l'essence, comment est-ce possible ? redemande Simon.

– Les composantes électroniques des voitures ont été anéanties, répond sa mère. C'est ce qu'on pense. Tout ce qu'on sait, c'est que la clé tourne, mais que rien ne tourne.

– Mais qui a fait ça ? demande Samara.

Ma mère pousse un énorme soupir et s'immobilise.

– Depuis des jours, nous nous préparons à cet orage magnétique. Des alertes ont été données par l'Administration des océans et de l'atmosphère. Et vous nous avez quand même désobéi. Estimez-vous heureuses d'être en vie ! Vos stupides fusils à l'eau sont dans la poubelle.

Elle se remet à marcher. « Wow ! que je pense, l'Administration des océans et de l'atmosphère, ça me fait penser à un personnage mystique qui observe les humains du haut des airs. » Je l'imagine avec une longue barbe blanche et des cheveux frisés assis sur un trône dans le ciel. Ça me donne des idées pour écrire une histoire des plus biscornues. Samara pourrait l'illustrer, elle est assez bonne en dessin. J'imagine un titre sensationnel : Zeus, l'Administrateur des océans et de l'atmosphère.

– Il est arrivé trois minutes avant le temps, ajoute ma mère.

– Qui ça ? demande ma sœur qui traîne de la patte.

– L'orage magnétique, soupire-t-elle. Coudons, m'écoutez-vous ? demande-t-elle en se retournant vers nous.

Nous nous figeons sur place.

– Avancez, dit Françoise, qui aidait maintenant les Deschamps avec leur moyen de fortune pour déplacer Maxime. Vous bloquez le chemin.

Nous reprenons notre marche et notre père, qui se trouve en avant de nous, pousse la grosse brouette. Il poursuit l'explication amorcée par ma mère :

– La compagnie d'électricité n'a pas eu le temps de mettre son plan de prévention en action et de cesser le courant. C'est pourquoi vous avez été électrocutés.

– Électrocutés, s'étonne ma sœur, comme ceux sur une chaise électrique.

– Oui, répond-il. Vous êtes chanceux que rien de grave ne vous soit arrivé.

Nous marchons en silence et passons devant la mairie où, habituellement, de joyeux clapotis d'eau provenant d'une construction basse en face du bâtiment se font entendre. Cette fontaine municipale en béton peinte en bleu pâle projette de grands jets d'eau de la bouche même de quatre dauphins bleu marine. Cette fois-ci, les dauphins sont à sec.

Nous peinons à marcher. Je me sens de plus en plus étourdie et j'interromps la marche toutes les cinq minutes pour boire de l'eau en bouteille. Simon n'en peut plus et il est le premier à demander un long arrêt. Puis, il se laisse convaincre de se laisser transporter. Il se couche dans la brouette décadente.

Normalement, je l'aurais agacé autant que possible, mais moi-même, je me sens dans les vapes. Finalement, nous nous résignons à notre tour à nous glisser dans la brouette. Nous atteignons la zone résidentielle et je ne me sens pas très fière d'être assise dans ce véhicule à la vue de tout le monde, surtout de mes amies. Nous nous faisons toutes petites et je me croise les doigts en souhaitant qu'aucune de nos amies ne nous voie. Par bonheur, elles ne semblent pas être à l'extérieur.

Après quelques pauses de mon père, nous arrivons finalement chez nous. J'entends au loin un bruit irritant et familier, un bruit de moteur. Qu'est-ce que je vois ? Notre voisin de gauche, le maniaque de gazon bien ras et bien vert en train de couper sa pelouse avec une tondeuse à gaz.

– Mais m'an ! Les moteurs fonctionnent, dis-je, frustrée d'avoir traversé la ville dans une brouette.

– Les petits moteurs sans électronique fonctionnent, soupire mon père, mais pas les gros !

Même si mon père est très épuisé, il entreprend d'enlever le papier vif-argent couvrant le vitrage et ma mère jette un coup d'œil dans le réfrigérateur non opérationnel et tente de déterminer ce qui est encore comestible.

– Allez ! Relaxez pendant que je prépare un petit goûter, dit ma mère.

Une fois dans notre chambre, je n'ai qu'une idée : ouvrir mon ordinateur. J'appuie sur le bouton ON. Rien.

– Oh ! Zut ! Pas d'électricité, pas d'Internet ! Qu'est-ce qu'on peut faire pour relaxer ? je demande à Samara.

– Je me demande bien !

Pendant quelques minutes, nous fixons le plafond, la bibliothèque pleine de livres, la boîte de jouets, les jeux de société et enfin nos pieds. Tout à coup, j'ai un regain d'énergie. Je me sens trop excitée pour m'adonner à l'inactivité. Je regarde par la fenêtre et je vois que tous mes amis semblent aussi désespérés que moi à jouer dans la partie aménagée du parc, située à quelques mètres de la limite sud de notre terrain. Maude et Chloé sont assises dans une balançoire, et chacune essaie d'aller plus haut et plus loin que l'autre, chose qu'elles ne faisaient plus depuis des lunes. Samuel joue à la marelle avec sa petite sœur et Alexis sculpte un morceau de bois avec un couteau suisse.

– On dirait bien que tout le monde s'ennuie, dis-je. Les journées vont être longues.

– Ouais, dit ma sœur en s'allongeant sur son lit.

Le ciel s'obscurcit davantage et quelques fines gouttelettes commencent à tambouriner les vitres, puis c'est le déluge. Maude et

Chloé crient et tout le monde rentre chez soi en courant.

– La finale, dis-je, complètement ébranlée. Il ne manquait plus que ça, un orage. Mais qu'est-ce qu'ils font tous ? je me demande en voyant les adultes sortir à l'extérieur.

Comme dirait mon père : « j'en perds mon latin ». Ils ont en main des chaudrons, seaux, chaudières, poubelles, nommez-les, qu'ils disposent un peu partout sur la pelouse. Ils rentrent de nouveau et ressortent avec davantage de contenants. Ma sœur et moi regardons cette course contre la montre qui semble consister à remplir la cour de contenants vides.

Malgré mon rétablissement à 75 %, je me précipite dehors, suivie de ma sœur.

– Mais maman, qu'est-ce que vous faites ?

– Les filles, rentrez à l'intérieur, vous voyez bien qu'il pleut.

– Justement, dit ma sœur, ce n'est pas une raison pour mettre tous les chaudrons dehors.

– On n'a pas assez d'eau, répond-elle en rentrant à l'intérieur suivie de notre père.

Nous les suivons. Ils empoignent de petits contenants en plastique et sortent aussitôt dehors.

– On en a des tonnes dans la cuisine, annonça Samara en faisant référence à la surabondance de caisses de bouteilles d'eau entassées près de la cuisinière.

– Les usines d'épuration ne fonctionnent plus, répondit Philippe en déposant le dernier seau. Avec ce temps chaud, d'ici un jour ou deux, toute l'eau qui sort des robinets risque d'être contaminée par les bactéries.

– Mais l'eau de pluie, c'est pire ! je m'exclame.

Mon père grogne et lève la tête vers le ciel, les yeux fermés puisqu'il pleut à torrents. Je pense qu'il a envie de me dire des gros mots et que ça chauffe pas mal à l'intérieur de sa caboche pour ne pas s'emporter et les dire. Heureusement que la pluie lui refroidit les esprits.

– Ce n'est pas pour boire, c'est pour laver la vaisselle, le linge ou nettoyer les planchers.

– Ah bon ! je bougonne. Nous ne sommes pas stupides, il fallait juste nous le dire.

De nouveau, ma fâcheuse tendance à inclure ma sœur revient lorsque je me sens visée par un commentaire désobligeant ou que l'on me reproche une sottise. Ma sœur riposte normalement par un coup de coude. C'est ce qu'elle fait.

– Allez, rentrez ! Vous allez être trempées, dit ma mère.

Le coup de coude tout mouillé de ma sœur m'a fait un drôle d'effet. J'ai eu l'impression de recevoir une décharge électrique et qu'un échange d'électrons s'est opéré. Un courant électrique s'est mis à circuler entre nous et nous nous regardons, toutes étonnées.

– Rentrez, crie mon père qui nous voit immobiles, à moins que vous teniez absolument à avoir la grippe !

Après nous être changées et asséchées, nous prenons un repas léger composé de feuilles de laitue fanées et des restes de charcuterie et de fromage. Nous sommes épuisées et nous avons de la difficulté à avaler quoi que ce soit. Nous nous couchons à l'heure des poules, alors que d'habitude, c'est une bataille entre nous et notre mère pour nous coucher le plus tard possible. Même Grizouille miaule et nous indique qu'elle est fatiguée et qu'elle veut se coucher, comme d'habitude, dans mon lit.

Chapitre 8

FACE DE SINGE

Jour 2, 8 h 34

La pluie a fait place au soleil. N'ayant pas d'Internet, ni de jeux vidéo, nous nous tournons vers des jeux plus simples. Je revêts un costume de sorcière tout noir et ma sœur, une robe rose de princesse, de très belles robes que notre mère a conçues et cousues.

Charline se joint à nous, déguisée en diablesse. Nous jouons bien sagement en essayant d'improviser une pièce de théâtre dans notre cour arrière quand Simon arrive, vêtu en gladiateur. Derrière lui, Hugo le souffre-douleur se joint à son persécuteur en portant une armure de chevalier en plastique, suivi du beau Maxime, qui a repris des couleurs depuis la veille, lui aussi en chevalier. Cédric et Paulo sont respectivement déguisés en centurion et en squelette vivant, Paulo étant le seul sans épée.

De façon naturelle, Gabrielle et Marie-Pier de notre rue des Ormes se sont groupées avec nous sans aucun déguisement. Le club Salsa est au complet. Nous nous faisons un plaisir de regarder les gars avec notre air dédaigneux parce qu'ils nous provoquent avec leurs épées-jouet en plastique.

– Hé, je crie, vous avez sorti vos vieux jouets de débile du sous-sol ? En tout cas, ça pue la cave.

– Pis vous autres, vous n'êtes guère mieux avec vos anciens costumes d'Halloween, riposte le beau Maxime.

Il a de super yeux d'un bleu intense et des cheveux châtains peignés à la Justin Bieber. Je craque pour lui et ma sœur, sur Cédric, le grand roux aux cheveux bouclés et aux yeux vert émeraude. Tous les deux sont très agréables lorsque nous les rencontrons seul à seul. Mais diable, pourquoi faut-il que les gars soient si désagréables envers nous lorsqu'ils sont ensemble ? Et pourquoi ont-ils choisi Simon comme chef ? C'est le pire imbécile que la terre ait jamais porté. Eh oh ! Réveillez-vous les *boys* ! Puis, je me dis qu'ils ont ce qu'ils méritent. Qu'il en soit ainsi. Nous allons nous défendre.

Et puis, nos costumes sont super beaux, c'est ma mère qui les a faits. Je suis profondément insultée de la remarque de Maxime. Je hurle en plissant mes yeux vers Maxime :

– La guerre est déclarée !

– Les Salsas, les Salsas, scandent les autres filles en tapant dans les mains.

– Qu'est-ce que c'est, les Salsas ? grimace Simon.

– Nous sommes les Salsas, les Salsas sensationnelles, je dis en m'avançant vers lui.

Les filles et moi levons les mains au-dessus de nos têtes et nous grognons pour leur faire peur. Simon rit à s'en fendre le bedon. Il renifle comme un porc et des larmes roulent sur sa joue.

– Vous, les filles, dit-il, déguisées en fées et en sorcières, pensez-vous nous effrayer ?

– Et vous, crie Samara en pointant une petite baguette en plastique terminée par une étoile, avec vos armures en plastique, pensez-vous réellement nous impressionner ?

Cédric abat son épée et Samara bloque avec sa baguette, qui plie. Le reste des filles et moi n'avons rien pour nous défendre. Nous nous contentons de les braver en montrant nos poings. C'est fort agaçant. Les trois autres gars simulent un combat à quelques pas de notre nez en agitant leur arme, sauf bien sûr Paulo, déguisé en squelette, qui grogne et sautille. Comme tous les adultes nous entourent et nous observent, ils n'osent pas nous frapper. Ils font juste des feintes.

Samara est irritée par le comportement de Cédric, qui frappe constamment sa baguette en partie détruite. L'étoile est tombée dès le premier coup d'épée. Choquée, elle lui lance la baguette, qu'il reçoit dans un œil. Il se met à hurler de douleur. Ça sonne faux. J'ai l'impression d'assister à une pièce de théâtre jouée par de piètres comédiens. Simon lève un drapeau blanc qui est plutôt un papier mouchoir à moitié utilisé trouvé dans sa poche arrière. « Beurk ! »

– Je demande la cessation des feux, lance-t-il.

– Déjà ? ironise Charline.

– Il y a un peu trop d'observateurs, murmure Simon, très sérieux. En plus, vous n'êtes pas armées.

J'ai un sourire en coin et les autres pouffent de rire. Il n'a pas compris qu'elles se moquaient de lui.

– Trêve acceptée, dis-je.

– Mais qu'est-ce que vous avez à rire comme ça ?

– Rien, rien, je te rassure, lui dis-je en essayant de ne pas rire.

– Il nous faudrait un lieu discret, loin de… vous savez qui, me murmure-t-il.

– Excellente idée, s'enthousiasme Samara.

– Et un fort, dit Simon.

– Et nous, un château, je riposte.

– Ben non, ça ne marche pas, ça ! vocifère le beau Maxime, lui d'habitude si calme. Il faut qu'une équipe veuille s'emparer du fort, et non que chacun ait son propre lieu de défense.

– Eh ben, c'est ce que nous verrons, je lance d'une voix pleine de défi envers lui.

Simon et sa troupe sont insultés et s'éloignent tout en jetant un œil furtif vers nous.

– Comment allons-nous faire ça ? demande Charline dès que la troupe adverse disparaît derrière la haie.

– J'ai une idée, que je dis. Assoyons-nous ! Ce sera notre première réunion de conseil.

Sur la pelouse, nous nous assoyons en rond et formons notre premier rond de sorcières. J'insiste pour que nous penchions la tête et que nous chuchotions.

– À l'ébénisterie de mon père, il y a des rebuts de bois. Je pensais établir notre lieu de fortification au pic du Corbeau. C'est l'endroit idéal, vous comprenez, c'est un pic.

– C'est beaucoup trop loin, se lamente Marie-Pier.

– Pas tant que ça, dit Samara. C'est à peine à une demi-heure de marche.

– Une demi-heure de marche ! s'écrie Gabrielle. Es-tu tombée sur la tête ?

– Pour vous, c'est une demi-heure, mais pas pour moi, rechigne Marie-Pier.

Marie-Pier est de taille petite pour son âge. Je la dépasse déjà d'une tête. Elle a un visage tout rond, de grands yeux bruns, le teint basané, les cheveux noirs et sa fameuse et éternelle coupe de cheveux à la Dora l'exploratrice. Sa mère la modifie en lui glissant dans les cheveux un large ruban rouge ou rose se terminant en une énorme boucle sur le dessus de la tête. Elle est adorable, mais moi, je trouve que ça fait bébé de quatre ans.

Studieuse et première de classe, elle est la chouchoute de tous les professeurs. Malgré le fait qu'elle réussit bien, elle veut toujours soutirer le plus d'informations possible aux enseignants avant un examen, ce qui lui vaut le surnom de « Vacmagick », comme le petit aspirateur annoncé et tant louangé à la télévision. Elle veut savoir ce qu'il faut étudier exactement pour le test, même si le professeur a noté sur son tableau E-XAC-TE-MENT les pages à étudier.

– Ah non, pas une chialeuse, dit Gabrielle.

– Quoi ? Est-ce que tu parles de moi ?

– Oui, de toi, la Vacmagicienne.

– Non, mais…

– Eille, que je crie. Cessez vos caprices. Marie-Pier, si tu ne veux pas participer, dis-le tout de suite. On peut facilement te remplacer en allant chercher une autre fille de la rue Belvédère.

– Mais, rechigne-t-elle, je fais partie du club, et puis ce club devrait se limiter à notre rue, la rue des Ormes.

– Alors, comporte-toi comme une vraie salsasienne. Sinon, il te faudra repasser l'épreuve.

– Hein ? crient les autres filles à l'exception de ma sœur. Pas encore l'épreuve du jalapeño !

Je n'y avais pas pensé, mais c'est toute une trouvaille. L'épreuve du piment. Wow ! Je suis forte. Je fais un grand signe de la tête que c'est bien ça. L'épreuve du jalapeño. Je n'ai pas le temps d'établir une stratégie que déjà, les gars viennent nous entourer et nous relancer. Nous nous relevons.

– Alors, les fillettes, avez-vous établi une ligne directrice ? demande Simon en riant.

– Bien sûr que oui, je réponds.

– C'est ça, ricane-t-il. On a le temps de mourir avant qu'elles se décident. Les filles, c'est jamais vite, que ce soit pour choisir une couleur de vernis à ongles ou un sac à main. Ma grande sœur Arielle est pareille. Alors, c'est quoi, votre château ?

Les gars rient.

– On n'a pas fini de discuter, lui dis-je en mettant mes mains sur mes hanches.

– C'est ce que je vous disais, les gars. Les filles, c'est même pas capable de se brancher.

Les gars rient encore plus fort. J'ai comme l'impression qu'ils se forcent à rire.

– Et toi, tu as choisi l'endroit ?

– Bien sûr que oui !

Il sourit en voyant mon visage blêmir et mes bras glisser le long de mes hanches et devenir lâches.

– Suivez-moi, je vais vous le montrer ! ricane-t-il.

– Quoi ? T'as déjà ton fort ! ?

– Je vous surprends, hein ? Même la Vacmagick n'est pas aussi vite que nous.

La rue des Ormes est la dernière rue de la ville de Saint-Parlinpin et la dernière rue du district 2. Elle longe une forêt plus ou moins dense. À droite, à un kilomètre vers l'ouest, se trouve le pic du Corbeau, un à-pic rocheux circulaire s'élevant à plus ou moins deux mètres, celui que je convoite.

Ce promontoire se projette vers l'avant, faisant dévier le lit de la rivière sur la moitié de son périmètre. Un quart de sa circonférence se poursuit sur la rive. Il est accessible seulement d'un côté grâce à un éboulis rocailleux s'étalant sur une faible largeur. Voilà un super lieu pour établir notre château. Si la Vacmagick m'avait au moins laissé le temps de l'expliquer, nous aurions pu approuver le choix.

À l'entrée de la forêt, Simon prend le côté gauche. Samara et moi sourions. Je fais un signe avec mon pouce aux autres copines comme si l'affaire était dans le sac. Les filles me regardent d'un air incrédule. Relevant nos longues robes, nous accédons à un terrain sablonneux. Un ravin de trois mètres nous barre la route. Nous descendons dans ce fossé pour ensuite gravir l'autre versant. Et là… une belle bâtisse en planches de bois fait éruption, un beau bâtiment avec un début d'estrade à la partie supérieure.

– Tadam, annonce Simon.

– Ce n'est pas juste, que je crie. C'est une bâtisse existante.

– C'était à vous autres d'y penser en premier, ricane Maxime, qui prend de plus en plus d'assurance.

La rage monte en moi. Pourquoi le beau Maxime me fait-il autant enrager ? Je plisse les yeux et je ne peux contenir ma colère. Je tends le bras et je lance une phrase, comme ça, partie de nulle part :

– Face de singe !

Je sens une grande vibration passer dans mon bras. Un puissant jet de lumière jaillit du bout de mes doigts et illumine le visage de Maxime.

Aussitôt, sa belle frimousse à la Justin Bieber se change en visage de singe. Nous nous figeons et les gars se mettent à crier comme des filles. Ils n'arrêtent pas de hurler et Maxime cherche sur son visage couvert de poils bruns une petite partie lisse sur ses joues. Rien à faire, il est aussi poilu que peut l'être un singe. Il lance un braillement désespéré et s'enfuit en courant. Les gars le suivent en hurlant et en criant comme si le diable était à leurs trousses.

Lorsqu'ils sont assez loin pour qu'on ne les entende plus, je regarde les autres.

– Est-ce que le beau Max avait une face de… singe ? que je demande, pas trop certaine.

– Oui, répond Marie-Pier, les yeux ronds.

– Ah bon ! Juste la face, hein ?

– Juste la face, répondent-elles en chœur.

Un silence s'installe. Elles fixent toutes le sol et se plaquent les mains sur leur visage. Seule ma sœur m'observe et d'une voix incertaine me demande :

– Mais… comment t'as fait ça ?

– Penses-tu que c'est à cause de moi ? dis-je, encore trop étonnée.

Les filles hochent toutes de la tête et détournent leurs yeux de moi.

– J'en sais trop rien. J'étais fâchée et je lui ai lancé…

– Un sortilège. Wow ! conclut Samara. T'es forte, Sal !

– De rien, Sam, dis-je, encore perturbée par cette affirmation trop bizarre pour moi.

Malgré mes étourdissements soudains, je vois bien que mes amies tremblent et qu'elles relèvent timidement leur tête vers moi. Enfin, Marie-Pier ose parler.

– Mais, Sal, serais-tu une sorcière ?

– Bien sûr que non, dis-je avec force. Je pense que nous avons toutes voulu voir la tête de Maxime se transformer en tête de singe et qu'on a vu ce qu'on voulait voir.

– Oui, mais…, hésite Marie-Pier. Ça avait pas mal l'air d'être vrai.

– Et si c'était vrai ? dit Charline la diablesse.

– Qu'est-ce qui est vrai ? que je demande, incrédule.

– Que tu es une sorcière ! s'étonne Gabrielle.

– Voyons donc, comme si je pouvais réellement avoir des pouvoirs… C'est ridicule, complètement ridicule.

– T'as qu'à essayer à nouveau ! insiste Marie-Pier, je veux dire pas sur nous, mais sur un objet.

– D'accord !

Une idée saugrenue traverse mon esprit. J'ai une envie folle de pulvériser cette forteresse choisie par l'équipe adverse. Une force irrésistible monte en moi. Le désir de détruire cette solution facile de lieu de fortification. Je pointe mes deux mains vers le bâtiment. Et d'un geste théâtral, je fais un signe de broiement en rapprochant mes mains une vers l'autre comme si je saisissais la taille de quelqu'un et que je voulais l'éventrer.

– Écrasement ! je crie en faisant un geste de torsion comme pour casser cette taille imaginaire.

Une énorme boule de lumière éclatante se forme entre mes mains et s'élance vers la construction. Un craquement formidable retentit et les planches se fractionnent en plein centre. Un nuage de poussière s'élève et le toit de la cabane s'abat au sol sur le côté.

– Wow! crient les filles en se cachant les yeux d'un bras pour ne pas recevoir trop de poussière.

La bouche ouverte et les yeux ronds, je m'étonne. J'ai soudainement des maux de tête et je vois le sol valser, mais je tiens bon. Je prends une grande respiration et l'oxygène m'aide à apaiser mes étourdissements.

– Mais comment as-tu fait ça, ma chère sœur?

– Aucune idée, dis-je.

J'ai vraiment fait éclater les planches. Je n'ose plus rien penser au cas où je transformerais quelqu'un en souris ou en éléphant, ou pire, en purée de framboises.

– T'es vraiment une sorcière! annonce avec fierté Charline.

– Une vraie de vraie, renchérit Gabrielle.

– Mais… je vous le jure… j'ai rien fait de spécial.

– Tu devrais essayer, dit Marie-Pier, de voler avec un balai.

– T'es mon héroïne, se pâme Gabrielle.

– Les filles, puisque je vous dis que j'en sais rien ! je crie. Aïe ! ma tête.

– Ça doit être à cause de ton costume, conclut Charline sans prêter attention à mon mal de tête.

– Ben oui, se réjouit Samara, ç'a du sens, tu portes ton costume préféré de sorcière. Si c'est ça, on va les écraser comme des puces.

Ma sœur lève les bras au niveau de la poitrine et pointe les pouces vers le haut. Leur enthousiasme me réjouit et je me sens mieux.

– En tout cas, si c'est ça, je vais dormir avec et le porter en tout temps, je dis en rigolant et en élevant ma main.

Chacune me tape la main en signe d'approbation. Soudain, j'arrête de rire. Je me rends compte que je n'ai pas rêvé et que j'ai réellement jeté un sort à Maxime. Il aura une face de macaque à tout jamais, lui qui était si beau. J'entends déjà les réprimandes de ma mère, les accusations criminelles de la mère de Maxime, mon arrestation par le policier Brière et l'enfermement à vie au petit poste de police de Saint-Parlinpin qui ne comporte que trois cellules. Puis, mon pauvre père aura des factures à payer en raison des nombreuses chirurgies esthétiques nécessaires pour reconstruire le visage angélique de Maxime. Des larmes me viennent. Des cris très, très lointains me sortent de ma torpeur. Ils nous incitent à rentrer dîner.

– J'ai faim, dit Gabrielle. Il faut y aller. Nous avons encore une bonne marche à faire.

– Oh ! mais je crois qu'on m'attend avec des menottes, dis-je en hoquetant.

– Tu penses ? dit Charline.

– Maxime a une face de singe, je pleurniche. Ils vont m'arrêter et me mettre en prison.

– Mets-toi derrière nous, suggère Samara, qui a compris mon raisonnement.

En arrivant à l'orée de la forêt, tout semble normal. Pas de cris, pas de police, sauf que je ne vois pas Maxime, ni les autres gars, et ça m'énerve. Tout est calme, je veux dire trop calme. Nous passons à la limite arrière du terrain des Marceau en essayant de nous faire petites.

Le père de Simon est là, devant son barbecue, et savoure une bière tablette. Rien à faire, il nous a repérées et, d'un large sourire, il nous salue. Nous nous relevons, un peu honteuses de notre ancienne position courbée, et nous le saluons.

Enfin, je suis sur mon territoire, dans mon arrière-cour. J'en tremble encore. Les autres nous quittent, ma sœur rentre dans la maison et moi, je regarde par le seul trou de la haie, cette haie qui entoure toute notre propriété sauf à l'avant. Tout est trop calme, trop paisible. Quelque chose cloche. J'épie les moindres gestes du voisin. Où est donc Simon ?

Chapitre 9

EFFET MOMENTANÉ

Jour 2, 12 h 13

Simon sort de chez lui avec une large assiette en mélamine blanche. Il a l'air calme et tout à fait normal. Aucun signe de perturbation émotionnelle. Comme si rien ne s'était passé quelques minutes plus tôt.

Debout en avant du barbecue, son père l'attend. Dès que son fils se poste à côté de lui, Matthieu Marceau dépose des hamburgers bien cuits dans l'assiette que tient son fils. Simon fixe un point particulier de la haie, là où est le passage entre les deux terrains. Les yeux plissés en une seule ligne mince, il perçoit un visage dans le trou de la haie. « Eh oui, coucou, c'est bien moi ! Je sais que tu me vois », je me dis.

Tout en tenant fermement son plat garni de nombreuses galettes de viande d'une main, je le vois élever l'autre bras et l'abaisser dans ma direction. Mon instinct me dicte qu'un danger imminent plane. Intuitivement, je recule ma tête de quelques centimètres. Un éclair traverse l'endroit. Je l'ai évité de justesse. Je me demande bien ce qu'il serait arrivé si je n'avais pas bougé, mais… ce que je comprends, hélas, c'est qu'il a lui aussi des pouvoirs.

Je me penche à nouveau. Il ne regarde plus dans ma direction. Il est concentré sur sa tâche et son père ne semble pas avoir noté quoi que ce soit d'anormal. Est-ce que j'ai bien vu ? Vite, il faut que j'en avise ma sœur.

Je poursuis ma marche vers la maison. Un écran grillagé en bois sépare l'aire de la table de pique-nique du reste du terrain, une aire plus intime. Ma sœur est assise et silencieuse. Je ne comprends pas ce silence religieux. Ma mère touille une grosse salade sans dire un mot. Mon père, comme tous les hommes du quartier, s'active devant le barbecue. Il fait griller de gros steaks, des saucisses et des cuisses de poulet. Tout à la fois. La grille est tellement pleine que j'en ai le tournis. J'en suis tellement estomaquée que je passe sous silence les dons de Simon à ma sœur. Je ne suis pas sûre de ce que j'ai vu. Peut-être que j'ai rêvé d'un éclat momentané de feu. Je saisis une bouteille d'eau et je bois de l'eau… tiède. Beurk ! de l'eau tablette.

– Profitez-en, les filles, le dernier repas avec de la viande, dit mon père.

– Pourquoi ? demande ma jumelle.

En réalité, on s'en fiche. Nous aimons la viande, mais en très petites quantités, et s'il n'y en a pas au menu, ce n'est pas la fin du monde.

– Le frigo et le congélateur ne fonctionnent plus, dit-il en remplissant une assiette d'une quantité anormale de protéines et en la déposant sur la table. D'ici une heure ou deux, il faudra tout jeter : viande, poisson, laitue, lait, légumes congelés, fromage et autres nourritures sensibles à la chaleur. Alors, profitez-en !

– Ah non ! s'écrie ma sœur, plus de fromage, plus de yogourt.

– Yop ! répond mon père.

Ça, c'est un coup dur, beaucoup plus que de ne pas avoir de viande. Plus de fromage en grains qui fait quick-quick ou de fromages qui se détachent en ficelles, plus de yogourt avec de gros morceaux de mangue.

Mon père dépose les autres assiettes de viande. Ça me dégoûte de voir une si grande quantité de viande pour quatre personnes. Je n'ai pas trop envie d'en manger. Je pique ma fourchette dans le plus petit steak tandis que ma sœur Samara, qui n'est pas trop viande rouge, pique sa fourchette dans une cuisse de poulet.

– Qu'est-ce qu'on va manger les autres jours ? je demande.

– Des boîtes de conserve pour un bon bout, répond ma mère.

– Mais pour combien de temps ? j'insiste.

– Personne ne nous l'a dit, soupire mon père. Je devrais plutôt dire : personne ne peut nous le dire. Les experts ont espéré jusqu'à la dernière minute que ça n'arrive pas, ou du moins que ce soit moins grave.

– Et dire que j'ai investi beaucoup d'argent dans mon atelier d'ébénisterie et je ne peux rien faire, même pas sabler un petit bout de bois, soupire à nouveau mon père.

– Comme ça, il va y avoir des tonnes de déchets, déduit Samara en regardant l'amas de viande au milieu de la table.

– Ouais, le maire a fait les suggestions prévues par les autorités. Il a fait faire une fosse à moins de deux kilomètres d'ici. Il a rangé les pelles et les outils dans un entrepôt non loin d'ici.

– Tu veux dire la grosse cabane près de…

– Ouais… c'est ça. Saléna, pourquoi fais-tu cette drôle de tête ?

– Euh… pour rien.

Puis, je vois la famille Deschamps, les parents de Maxime, marcher d'un pas grave sur le trottoir. Je m'attends au pire et j'espère qu'ils continuent leur promenade. Je mâche lentement un morceau de viande et je garde les yeux rivés sur l'assiette.

– Yé ! crie mon père. Venez ! Quoi de neuf, Gilles ?

« Non, non, papa, tu n'as pas fait ça ! Oh ! là ! là ! » J'ai les jambes qui tremblent. D'habitude, je bascule une jambe de l'avant à l'arrière, mais cette fois-ci, j'ai comme la maladie de la vache folle. Elles tremblotent toutes les deux sans arrêt. Ils s'approchent de notre table et ils ont un air décontracté.

– Salut Mélanie ! crie la dame.

– Salut Philippe ! Beau temps pour faire du barbecue, ironise monsieur Deschamps.

– En effet ! En voulez-vous un peu ? demande mon père en montrant le tas de viande cuite.

– Non, merci ! J'ai fait mon effort de guerre. J'ai l'estomac plein et il est aussi dur qu'un roc. Ça me fend le cœur de devoir jeter toute cette nourriture. On n'a pas trop le choix.

– Prenez le temps de vous asseoir, insiste ma mère.

Les Deschamps s'assoient au bout de la table et ma mère s'empresse de leur verser une tasse de thé.

– Ouais. Au moins, les enfants ne sont pas postés devant la télé, un jeu vidéo ou Internet, dit Mélanie. Ils prennent de l'air.

– Ça oui, dit Patricia. Sauf que, je ne sais pas quelle mouche a piqué mon Maxime. Ses amis sont arrivés à la maison en criant et hurlant des phrases incompréhensibles. Je n'ai rien compris à leurs histoires sauf que mon fils avait le visage enflé et qu'il faisait un peu de fièvre. Je lui ai dit de se coucher. Je crois qu'il a eu une insolation ou qu'un bourdon l'a piqué. D'ici quelques heures, ça devrait bien aller.

Je n'ose le croire. Sa figure est seulement rouge et enflée. Il n'a pas une face de singe !

– Oh ! le pauvre, dit ma mère en essayant de rentrer un autre morceau de viande dans sa bouche. Il faut boire beaucoup d'eau et prendre un comprimé d'ibuprofène.

– Oui, c'est ce que nous avons fait. Juste avant de faire notre promenade, je suis allée le voir dans sa chambre. Il dormait et c'est incroyable, son visage était presque entièrement désenflé.

– Tant mieux.

Je fais un clin d'œil à Samara. Elle comprend.

– M'an ! Je n'ai plus faim, dit-elle.

– Samara ! T'as à peine mangé.

– Moi non plus, m'an ! Je me sens étourdie. Je crois que le soleil nous a frappées trop fort, je réponds à la place de ma sœur.

– Les jumelles, faites un petit effort. On va devoir jeter toute cette bonne nourriture.

– Mais m'an ! On n'a plus faim, nous crions en chœur.

– C'est ce que je vous disais, dit la voisine, le soleil est trop fort pour eux et l'air, trop pur. Les enfants tombent malades parce qu'ils ne sont plus habitués à jouer dehors.

Après un long soupir de détresse convaincant, nous obtenons la bénédiction de notre mère pour nous retirer de table. Nous nous mettons à courir en direction de l'entrepôt et j'entends ma mère se fâcher.

– Eh, les filles ! Pas par là, à la maison dans votre chambre, tout de suite ! Rentrez à la maison, sinon…

– Trop tôt, m'an !

Nous courons vers la forêt ensorcelée, j'entends ma mère dire à mon père :

– Philippe, fais quelque chose !

Relevant nos robes, nous parcourons les kilomètres au pas de course, oubliant les branches qui nous fouettent le visage. Nous sautons par-dessus des troncs d'arbres morts et enfin, nous traversons le dernier obstacle, soit le profond ravin granuleux dont le fond tapissé de grosses roches nous fait tourner les chevilles. Essoufflées, nous atteignons le haut de l'autre versant et constatons que la construction est telle que nous l'avons vue la dernière fois, soit un bâtiment démoli.

– Je n'y comprends rien. Il semble que Maxime ait récupéré sa jolie figure, mais pas le bâtiment, dis-je.

– T'as peut-être qu'un effet temporaire sur les humains, mais pas sur les objets, suggère ma jumelle.

– Il faudrait vérifier cette hypothèse d'effet temporaire sur les humains.

– Tu veux dire vérifier par nous-mêmes chez Maxime ?

– Ben, je suis comme saint Thomas. Je dois le voir de mes propres yeux.

Sur la pointe des pieds, nous traversons l'arrière-cour des Deschamps. Une maison cossue, toute en pierres avec une grande tourelle de style victorien à l'avant. Ma mère l'aime beaucoup, tout comme la maison en face de chez nous, la maison des retraités Beauséjour, qui viennent de déménager. La maison a été vendue la semaine dernière, mais les occupants ne se sont pas encore présentés.

Le père de Maxime fait beaucoup d'argent, beaucoup plus que mon père. Même s'il ne gagne pas un si gros salaire, mon père a un point commun avec lui : il lui manque des bouts de doigts. J'en ai des frissons chaque fois que je pense que le père de Maxime s'est fait écraser les doigts en déchargeant des navires et que mon père en a perdu des bouts en coupant des morceaux de bois. Je ne suis pas fâchée qu'il ne soit pas dans son atelier ces jours-ci.

Je sonne. Rien. C'est vrai. Pas d'électricité. Je frappe. Pas de réponse. Samara ouvre la porte et nous constatons qu'il n'y a personne au rez-de-chaussée. Nous rentrons. Droit devant nous, un escalier. Nous montons. Dès que je pose mon pied sur les marches en chêne, le bois craque lugubrement. Le cœur me débat. Je n'aime pas jouer au malfaiteur. Et là, qu'est-ce que je suis en train de faire ? Une invasion de domicile. Les mots le disent, une invasion comme une invasion de moustiques ou d'hommes armés. Ce n'est pas rigolo, surtout lorsque les résidents s'y trouvent. Du moins, aux dires de ses parents, Maxime est dans sa chambre. J'ai les mains moites.

En plein milieu de l'escalier, je m'arrête. Ma sœur derrière moi me donne une taloche sur une fesse. Un signe non verbal signifiant : « Continue de monter, la vieille. » Ouain, ouain, est-ce que j'ai encore le goût de surprendre l'ennemi ? Samara lâche un soupir. OK, j'ai compris. Je reprends ma marche. J'espère juste qu'il dort, je veux dire qu'il dort très profondément. J'y suis. Je suis au haut de l'escalier, je mets le pied sur la dernière marche et elle craque aussi fort que les autres. J'en ai des sueurs.

Arrivées à l'étage, Samara me tasse et elle prend les devants, comme si elle me trouvait trop mauviette. En éclaireur, elle longe les murs du corridor et se glisse furtivement dans une des pièces à sa gauche. Elle ressort de la chambre et poursuit sa mission. Elle allonge la tête dans l'embrasure d'une autre porte et se retourne vers moi. De son index qu'elle plie et déplie, elle m'indique d'avancer doucement. Je me déplace en soulevant mes pieds délicatement. Je passe devant l'ouverture pour y apercevoir Nadine, une fillette de quatre ans, dormant avec son nounours en peluche rose et sa nounou en chair et en os qui n'est nulle autre que sa grand-mère, Ursule, à ses côtés.

Assise dans un confortable fauteuil avec une grosse couverture de laine blanche sur ses genoux malgré la chaleur estivale, elle produit des ronflements semblables aux grondements anormaux d'un conduit de cheminée pleine de créosote en feu. Ses ronflements sont accompagnés de pics sonores hallucinants. J'ai le cœur qui me débat juste à entendre ce bruit que je reconnais. J'en sais quelque chose.

L'année passée, mes parents ont loué un chalet d'hiver pour passer les vacances de Noël à la campagne. Quelle affreuse idée ! En pleine nuit, la veille de Noël, la tuyauterie du poêle s'est mise à gronder tellement fort et à rougeoyer qu'on a craint de passer au feu. Mon père connaissait le truc des serviettes mouillées pour apaiser le feu dans la cheminée. On a mis des tonnes de serviettes mouillées autour du tuyau rouge et pendant une heure, nous avons fait la chaîne en changeant les serviettes qui devenaient brûlantes en quelques secondes par de nouvelles plongées dans l'eau froide.

Là, en regardant cette mémé ronfler comme un feu de cheminée, je me demande si elle arrêterait de ronfler si je mettais une serviette mouillée sur sa bouche.

– Saléna, chuchote ma sœur d'une voix se voulant forte, avance!

Je cesse mes rêveries et j'obéis. Enfin, nous atteignons la chambre de Maxime. Je m'approche. Il est encore plus beau que d'habitude. Je n'ai jamais dit à ma sœur que je le trouve mignon. Elle aurait bien trop ri de moi. Alors, je fais exprès, je fais tout pour le provoquer, et nous avons l'air de nous détester. C'est mon petit secret, sauf que… je ne pourrai jamais lui dire que je l'aime.

– Tu vois, constate ma sœur. Aucune trace.

– C'est vrai! dis-je en soupirant de contentement.

– Jus de betterave qu'il est beau! je chuchote sans penser que ma sœur puisse m'entendre.

– Beau ! murmure Samara en louchant. Aussi beau qu'un oignon plein de vers.

Pourquoi ma sœur en rajoute-t-elle toujours ? Je suis fâchée. Je n'ai pas le temps de riposter que le tuyau de poêle dans l'autre chambre semble avoir cessé ses ronflements.

– Oh ! Il faut sortir au plus vite, suggère Samara.

Tout doucement, nous passons devant la chambre de Nadine. Au même moment, la vieille reprend son ronflement. Ouf ! Un arrêt momentané de son ronron, le temps de tourner la tête et de replacer sa couverture sur ses genoux.

Une fois à l'extérieur, nous sommes à la fois excitées et perplexes. Pour ne pas être vues des voisins, nous rentrons dans la forêt et nous nous dirigeons vers notre maison, où mes parents doivent nous attendre de pied ferme. Nous sommes loin d'être pressées de rentrer. Nous marchons lentement.

– Eh bien, je calcule, dit ma scientifique de sœur, que le gros de l'effet dure environ

30 minutes. Le sort s'estompe au point de disparaître complètement en une heure, peut-être.

– Fantastique. Mais... je ne comprends toujours pas comment j'ai acquis ce pouvoir!

– Quoi qu'il en soit, ma vieille sœur, c'est peut-être tout simplement notre imagination qui nous joue des tours. Il n'a peut-être jamais eu de face de singe.

En entendant le mot vieille, j'interromps ma marche et je plisse les yeux. Mes deux bras sont projetés vers l'avant et je pointe son visage, doigts tendus, prêts à la transformer en grosse poule. Elle se retourne et comprend ma réaction colérique. Elle affiche un sourire ironique, empreint de défi, du genre «t'es mieux de ne rien faire, sinon je vais te dénoncer». Il est vrai qu'elle ne peut me dénoncer en caquetant. D'un autre côté comment expliquer à mes parents que la volaille prête à être plumée et à être enfournée dans un grand four à bois qui me suit est ma sœur?

– Tu disais? dis-je en ramenant mes bras vers moi et en me calmant.

– Ma très chère sœur, je crois que les jours prochains, nous n'allons pas nous ennuyer. J'ai un plan.

– Un plan ?

J'ai bien hâte de savoir à quoi elle fait allusion. Ma jeune sœur est très surprenante.

– Pas de parents en vue, dis-je en mettant le pied sur notre terrain.

En pénétrant dans notre maison transformée en magasin général, nous voyons que nos parents sont occupés à vider et à nettoyer le réfrigérateur. Nous nous faufilons entre les caisses et courons dans l'escalier.

– Les filles ! crie ma mère.

– Oui, maman, je réponds.

– Dans votre chambre et vous restez là.

Ça adonne bien, c'est ce qu'on voulait faire.

Chapitre 10

LE PLAN

Jour 2, 16 h 08

Ma sœur est assez douée en dessin. Elle dessine à peu près tout ce qu'elle veut lorsqu'elle y met de l'énergie et du temps. Ma mère l'encourage à développer son talent, même si elle aime surtout dessiner des chats bleus. Chagall ajoutait bien dans ses peintures un âne tantôt bleu tantôt vert ou rouge. Elle est notre Chagall Bellerive. En plus, elle a une bonne mémoire photographique. Brrrr ! Moi, au contraire, je suis nulle en dessin.

Elle déballe son matériel d'artiste et s'installe à son bureau. Elle dessine la rivière et l'emplacement du pic du Corbeau.

– Voilà, dit-elle. Nous sommes cinq filles contre cinq garçons. Je crois encore que le pic du Corbeau est le meilleur endroit. Il est inaccessible sur une grande partie de son périmètre. Il sera facile d'occuper efficacement cet emplacement, il suffit de construire un mur à cet endroit.

– Ouais, mais s'il y a un mur, il ne nous sera pas accessible, dis-je en m'assoyant à côté d'elle.

– Il nous faut des échelles pour y accéder, déduit-elle en dessinant la muraille et en positionnant une échelle.

– Mais eux aussi, ils peuvent accéder à leur tour s'ils amènent une échelle.

– C'est vrai ! Hum ! En plus, le mur devra être bien fort pour supporter notre poids et celui de l'échelle. Penses-tu que papa voudra nous aider ?

– Tu sais, papa, ces jours-ci, il est bizarre. J'espère juste que sa nouvelle entreprise fonctionnera bien. Il s'est beaucoup investi.

– Ouain, j'ai bien remarqué ça. Il n'a pas arrêté de nous dire qu'il ne faudrait pas trop compter sur de gros cadeaux à notre fête, faute d'argent.

Elle prend une autre feuille blanche et esquisse une autre proposition. Elle noircit, dans un temps record, une dizaine de gribouillis. Les dessins sont plus ou moins clairs. Elle commence un nouveau croquis. Je crois bien y discerner un embryon de solution.

– Wow ! dis-je complètement abasourdie. On dirait bien un passage.

– Ouais, c'est comme un genre de trompe-l'œil, dit-elle. De façade, on ne voit qu'un mur continu alors que, sur le côté, il y aurait un court couloir. Ça pourrait bien être comme un des décors de madame Rose Laviolette, notre enseignante de français.

Je me souviens d'un décalage de 60 centimètres entre deux décors permettant d'emprunter un accès latéral et de disparaître vitement de la scène. Il pourrait être reproduit ici en construisant deux murets en grosses planches de bois recouverts d'un bon contreplaqué. Et pour cacher ce décalage, juste un jeu d'illusion qui fait croire que cette ouverture n'existe pas. L'effet trompe-l'œil.

– Seules les initiées pourront accéder à notre fortification, poursuit-elle. Il faut juste mettre un battant un peu en retrait si quelqu'un a la brillante idée de trop fixer cet endroit précis.

– Mais ce n'est pas de ça que je parle. Tu as fait ce dessin à une vitesse impressionnante.

– Ah oui ! C'est à peine croyable ! Je crois que j'ai un don.

– Tu veux dire que tu as… un pouvoir magique, tout comme moi !

– Tu crois ? Je n'ai fait que dessiner !

– Essaie, hum… de transformer un objet.

Elle prend sa vieille poupée posée sur son lit.

– Je veux le dernier modèle des poupées Baritaz, une des jumelles Babysi.

Elle a beau gesticuler et imiter une sorcière jetant un sort, elle a beau froncer les sourcils et répéter sa phrase. Rien n'y fait. Sa poupée reste la même. Je ris parce qu'elle a demandé une poupée Baritaz. Elle plisse le nez et me la tend.

– Essaie, toi !

– Non, merci ! Je n'en veux pas de cette sorte de poupée.

– Alors, change-la en un modèle qui te plaît.

– D'accord !

Je m'y mets. Étonnamment, je ne trouve ni l'émotion, ni la phrase-clé pour lancer ce sort.

– Désolée, je ne trouve pas les mots.

– Quoi ? Tu as juste à dire : « Poupée, change-toi en la plus merveilleuse Babysi. »

J'ai beau essayer, un mal de tête lancinant et pénible me prend.

– OK, dis-je. Pour une raison que j'ignore, la magie ne veut pas opérer. Il faut peut-être des conditions pour la réalisation.

– Ou peut-être que ça ne fonctionne pas sur des objets inertes, conclut ma sœur.

– Ben non, j'ai fait sauter l'entrepôt.

– T'as bien raison !

– Tout ce que je peux dire, c'est que nous avons probablement des pouvoirs différents, et c'est tant mieux. Toi, tu as le crayon magique, et moi, j'ai mes transformations.

Nous en sommes très, très, très heureuses ainsi ; elle a un crayon magique et moi, mes transformations. À nous deux, je sens que nous aurons la mainmise sur le district 2 de Saint-Parlinpin.

– Mais j'y pense, dis-je, est-ce que ça se pourrait que nos pouvoirs proviennent de notre foudroiement pendant notre bataille avec Simon durant l'orage magnétique ?

– T'as raison, Saléna. Ça se pourrait bien que… je veux dire… t'as vu la rapidité à laquelle nos ecchymoses ont disparu.

– C'est vrai. Ça aurait dû prendre des semaines. Et je crois bien que Simon a aussi un pouvoir, je conclus. Il m'a jeté un regard très chaud, l'autre jour.

– Qu'est-ce que tu veux dire ?

– Juste avant le repas, je l'ai observé par le trou de la haie, et il n'était pas très content que je le fixe. Alors, il a fait des yeux méchants et a levé sa main. Et là, j'ai juste eu une fraction de seconde pour reculer la tête avant qu'un éclair de feu passe juste sous mon nez.

– Sauf qu'il ne le sait peut-être pas encore qu'il a un pouvoir, dit Samara d'une voix rauque. En tout cas, c'est à espérer.

– Je me demande bien si Maxime, qui s'est joint à nous, en a.

– Sûrement, mais quel serait son pouvoir ?

Nos interrogations sont interrompues par un mélange de cris humains et d'étranges créatures. Nous entendons un étrange concerto glacial incessant de thif thif djé provenant de l'extérieur. Trop curieuses, nous quittons le confort de notre chambre.

Chapitre 11

LES GEAIS BLEUS

Nous courons sur le balcon. Une marée volante ondule dans le ciel en cachant la lumière du soleil et en projetant des ombres inquiétantes au sol. Tous ces hurlements nous glacent le sang. Du haut de notre balcon, des milliers et des milliers de geais bleus se jettent sur des sacs poubelle, les ailes déployées, en lançant des cris stridents.

Ils arrachent avec leurs becs de gros morceaux de plastique et font d'énormes trous. En quelques instants, les sacs prennent des allures de passoires et un jus de couleur douteuse en jaillit. Agressifs, ils continuent leur acharnement inouï contre cette pellicule noirâtre. Avec furie, ils déchiquettent de leurs pattes les parois et réussissent à ouvrir les flancs du sac pour laisser voir des trésors de nourriture. De gros morceaux de chair comestible sont à leur portée. D'un coup de bec, la viande est traînée sur une courte distance. Les cris des geais deviennent plus perçants et ils se picorent entre eux pour se faire un chemin jusqu'à cette nourriture en exceptionnellement grande quantité. Certains repartent en tenant dans leur bec de gros lambeaux de chair. Des hurlements d'horreur de gens encore à l'extérieur résonnent dans tout le district 2. Plusieurs sont à la recherche de leurs chats ou de leurs chiens.

Le ciel est assombri par tous ces oiseaux qui passent et repassent en faisant un ballet incessant au-dessus des poubelles. Maladroits ou trop cupides, ils échappent la moitié de leur butin, qui tombe un peu partout sur les pelouses, les chaises et les tables de pique-nique.

Seul Simon, au milieu de cet agglomérat d'oiseaux agressifs tournoyant au-dessus de sa tête, ne semble pas effrayé. Il a remis son armure et son casque de gladiateur. Épée en main, il les brave. Il sautille en criant :

– À mort, sales bestioles !

Dans l'affolement du moment, tout le monde hurle et court dans toutes les directions pour prendre les plus jeunes enfants ou leurs animaux de compagnie avant de se cacher à l'intérieur des maisons sécuritaires. Personne ne remarque les arcs électriques bleutés sortant de la main de Simon. Déchaîné, il continue à hurler et à pointer son arme vers la nuée d'oiseaux criards. Ces décharges traversent l'épée de plastique et zigzaguent dans le ciel en touchant une cible ou en s'évaporant dans l'air. En quatre minutes, il a réussi à abattre six geais. Estomaquées, nous sommes les seules du haut du balcon à remarquer son pouvoir, un pouvoir qui tue. Est-il réellement conscient de sa puissance ? Simon a ralenti son action. C'est maintenant lui qui zigzague. Il semble affaibli et les arcs sont plus courts et d'une couleur jaunâtre.

Sa mère l'implore de rentrer à grands cris déchirants à travers la porte d'entrée. Elle lui a à peine jeté un coup d'œil de quelques secondes, trop apeurée par les oiseaux. Elle n'a pas dû se rendre compte de ce qu'il faisait, ni apercevoir les éclairs qui sortaient de sa main. Je constate qu'il est étourdi, tout comme moi après mon sort d'explosion, et je le vois délaisser son passe-temps pour obéir à sa mère. Il rentre chez lui d'un pas lent.

– Simon a un pouvoir! crions-nous en chœur d'une voix tremblotante.

Nous avalons péniblement notre salive et nous nous disons que nous n'aurons pas le choix de combattre cet ennemi dont les pouvoirs ont l'air 100 fois plus terribles que les nôtres. Des geais bleus passent au-dessus de notre balcon. Des morceaux de chair se détachent de leur prise et tombent près de nous. Nous lâchons des cris d'horreur et rentrons.

– Et dire que c'est mon ennemi juré, jus de betterave ! Il ne va surtout pas se gêner pour nous en faire voir de toutes les couleurs, je pleurniche.

Notre mère monte en hurlant, suivie de mon père par-derrière.

– Vite les filles, réfugiez-vous dans la salle de bain.

Malgré la touffeur de l'air et le fait que nous suffoquons, nous sommes barricadés chez nous et attendons que les geais s'en aillent. Nous sommes agglutinées sous la tablette de la fenêtre de la salle de bain. Ne me demandez pas pourquoi ma mère a eu l'idée de se réfugier à cet endroit. C'est peut-être parce que c'est là que se trouve la plus petite fenêtre de la maison. Je relève la tête et jette un œil dans les environs. Un oiseau vient frapper la moustiquaire et je lâche un gros « Ouuuuaaaaaah ! », Rapidement, je ferme le battant de la fenêtre.

– Ils sont encore là, dis-je en portant ma main à mon cœur.

– On a cru comprendre ça, se lamente ma mère.

– C'est bien la première fois que je vois des oiseaux manger de la viande avec autant d'appétit, que je dis.

– Je ne savais pas que les geais bleus étaient carnivores, murmure ma mère, terrorisée par cette attaque.

– Moi, je savais qu'ils dévoraient des oisillons, déclare mon père, mais c'est la première fois que je les vois s'attaquer à de la viande avec autant de ferveur.

– En tout cas, dit ma sœur d'un ton pragmatique, on n'aura pas besoin d'enterrer la nourriture dans la grosse fosse du maire.

– Ils sont si nombreux, pleurnicha ma mère. Mais d'où viennent-ils ? Ça va devenir impossible de manger dehors.

– *No way*, se choque Samara. Pas question de rester ici, dans ce four. Maman, c'est invivable !

Ma mère se redresse et regarde au-dehors.

– Ils sont beaucoup moins nombreux. Je pense qu'on peut se lever.

Elle examine les lieux et sa figure prend une teinte verdâtre avant d'ajouter :

– Ouuaaaache ! C'est dégueulasse. Il va falloir laver à grande eau et à l'eau de javel les tables et les chaises. Il y a de la nourriture partout. C'est affreux !

– Ça donne bien, je m'exclame. On a une quantité phénoménale d'eau de pluie qui embarrasse l'entrée.

– Oui, mais pas en quantité industrielle, se fâche ma mère.

– Quel dégât ! Je me demande quand il va pleuvoir à nouveau, s'interroge le paternel.

Mon père, par pur instinct, sort son téléphone portable pour accéder au site Météo Média. Il soupire :

– J'ai oublié que plus rien ne fonctionne.

– La bonne vieille méthode visuelle, dit ma mère en rouvrant la fenêtre. À l'est, le ciel est dégagé. Pas de tempête à l'horizon. Tiens ! Les Marceau sont sortis avec des sacs poubelle tout neufs. Beurk ! C'est écœurant. Il va falloir remballer tout ce dégât. Oh ! Il y a au moins une bonne nouvelle. Les oiseaux sont redevenus normaux. Matthieu fait de grands gestes avec ses bras pour leur faire peur et ils s'en vont. C'est déjà ça !

Chapitre 12

MONSIEUR LE MAIRE

Armés de sacs poubelle et protégés par des gants, nous nettoyons les environs. En moins d'une demi-heure, les geais ont fait des dégâts épouvantables. Des millions et des millions de détritus de viande de formats variés sont répandus sur les tables, les chaises, dans l'herbe et même sur les murs des maisons. Presque à chaque pas, nous glissons sur une matière visqueuse. De temps à autre, nous jetons un coup d'œil apeuré vers le ciel pour vérifier si aucun oiseau bleu ne voltige dans le ciel.

En début de soirée, nous avons enfin terminé de nettoyer le terrain et ma mère lave l'ameublement extérieur avec de l'eau mousseuse, tandis que mon père, qui a sorti l'escabeau, s'attaque au nettoyage des murs externes de la résidence.

Nous rangeons les nouveaux sacs poubelle près de la maison lorsqu'on aperçoit un homme petit et habillé comme pour participer à un safari africain parader dans la rue. Il a revêtu le costume au complet, incluant le casque d'expédition africaine. Derrière lui, un homme grand et sec, à la chevelure noire et amincie, porte un complet bleu clair malgré la température chaude. Il tient un bloc-notes d'une main et de l'autre, un stylo économique de marque Bic. Des curieux se sont joints à eux. Ce sont entre autres les parents de Charline, de Gabrielle, de Simon et de Maxime entourés de leurs progénitures.

– Tiens, murmure mon père à ma mère en descendant de son escabeau, si ce n'est pas monsieur le maire, Pierre Miron en personne. Parlipopette, il l'a, le déguisement !

Ma mère rit aux larmes. Elle tente rapidement d'étouffer son rire, car l'homme s'avance vers nous en criant un « Joyeux bonjour, chers concitoyens ! ». Il nous invite à nous regrouper autour de lui. Il s'arrête près d'une table de pique-nique et examine les lieux. Il enlève son casque colonial et éponge son crâne partiellement dégarni avec un grand mouchoir blanc brodé des initiales P et M. Il essuie sa grosse figure au teint rouge d'un bon buveur de vin.

– Bonjour mes amis, dit-il une fois qu'il a capté l'attention de tous. Je suis accompagné de mon ingénieur, monsieur Paul Masson. Nous analysons la situation et nous faisons tout pour vous venir en aide. Comme vous le savez, nous mettons tout en œuvre pour assurer votre sécurité et répondre de notre mieux à tous vos besoins élémentaires. Je suis heureux, poursuit-il en jetant un œil sur Simon, Maxime et nous, les filles, que nos quatre grands blessés s'en soient tirés miraculeusement. Je vois qu'ils vont bien. Je sais, chers concitoyens et chères concitoyennes de St-Parlinpin, que certains phénomènes restent encore inexpliqués, comme cette nuée d'oiseaux. Plus au nord, c'étaient des chauves-souris. Des tas de chauves-souris qui se sont abattues sur tout ce qui bouge, humain, chat, oiseau. Et ça, en plein jour.

– Oh ! dit ma mère, je crois que je préfère les geais bleus aux chauves-souris. Mais quelle est donc l'explication de ces attaques massives ?

– Nous n'en savons rien, mes chers concitoyens et mes chères concitoyennes. Cette tempête magnétique de grande magnitude a dû les perturber. On doit s'attendre à d'autres phénomènes inexpliqués. D'après certains experts, nos ondes cérébrales peuvent être momentanément déréglées par de tels orages.

– C'est un avertissement, dit l'ingénieur, un homme sérieux.

– Qu'est-ce que vous voulez dire ? demande le papa de Maxime.

– Qu'il y a pire à venir, dit-il d'une voix énigmatique.

Monsieur le maire le dévisage en fronçant les sourcils et se retourne vers nous avec un sourire fendu jusqu'aux oreilles alors que son ingénieur hoche de la tête à chacune de ses affirmations comme un petit chien mécanique secouant la tête au moindre mouvement. C'est à ce moment-là que je pense que tous les deux sont des dérangés, surtout le maire. Il me paraît trop bizarre.

– Avouez, dit-il en riant étrangement. Les oiseaux qui s'attaquent aux poubelles… les chauves-souris en plein jour… ça dépasse l'entendement.

Il se met à rire comme si ça l'amusait.

– Ça ne prend pas la tête à Papineau pour déduire que… d'autres manifestations bizarroïdes sont à venir, annonce-t-il d'une voix mystérieuse en me fixant soudainement. Les conséquences peuvent être graves, très graves.

« Oh ! là ! là ! Je crois bien que monsieur le maire exagère. Hi, hi. Il a quelques neurones grillés. Ça va vraiment pas bien dans son coco. »

– N'hésitez pas à m'en parler, ajoute-t-il d'un ton plus léger. Tout notre corps policier et nos cols bleus parcourent actuellement chaque artère de la ville, malheureusement à pieds. Nous allons tout faire en notre pouvoir pour contrecarrer tout phénomène étrange et, s'il le faut, abattre tout ce qui est anormal et surnaturel, dit-il en regardant ma mère, mon père et ensuite nous.

Ma sœur et moi nous raidissons. « Wow, je sens qu'il est déterminé à ne pas lésiner sur les cartouches pour abattre tout ce qui lui paraît bizarre. Si ça ne tenait que de moi, il devrait se calmer le pompon. Un accident est si vite arrivé. Je veux dire, sous le coup de l'énervement, on peut abattre quelqu'un par inadvertance. »

– Ah bon ! À quel genre de choses bizarroïdes pensez-vous ? Pensez-vous qu'une face de singe, c'est assez bizarre pour vous ? demande Patricia, la mère de Maxime.

– Une face de singe ? s'étonne le maire. Qu'est-ce que vous voulez dire ?

– Je veux dire que mon fils a cru dur comme fer qu'il avait une face de singe alors qu'il n'avait qu'un coup de soleil. Heureusement qu'on a réussi à le calmer et à le coucher. Depuis, il a oublié ce détail.

– C'est en plein ça, se réjouit le maire. Il faut s'attendre à des apparitions étranges ou à des visions photopiques ou scotopiques temporaires.

J'étais sûre que monsieur le maire allait sortir ses grands termes du dimanche. Je suis persuadée qu'il ne sait même pas ce que ça veut dire. D'ailleurs, moi non plus.

– C'est ce que je vous disais un peu plus tôt, poursuit-il. D'après mes lectures sur le sujet, les champs magnétiques peuvent non seulement détruire toutes les communications et foutre en l'air les appareils électroniques, mais ils peuvent aussi interférer avec les ondes du cerveau humain et des animaux. Alors, ne soyez pas surpris qu'on s'affole pour des… hallucinations causées par notre cerveau devenu hypersensible à cause de cette tempête.

J'espère qu'il va se souvenir de ce qu'il vient de dire avant d'ordonner d'abattre tout ce qui est anormal et surnaturel, parce qu'il a peut-être devant lui une hallucination.

Puis, il fait un pas vers madame Deschamps. Il se met sur le bout des pieds afin de s'agrandir et de se positionner vis-à-vis des yeux de Patricia. Il lui dit d'une voix d'outre-tombe :

– Les conséquences risquent d'être graves : jugement erroné, folie temporaire, divagation de l'esprit et j'en passe. Soyez alertes, votre esprit est peut-être sous l'emprise d'une hallucination !

Le visage de Patricia Deschamps devient livide. Elle se met à trembler comme une feuille. Décidément, monsieur le maire n'y va pas avec le dos de la cuillère. D'après lui, cet orage magnétique aurait transformé la faune et la flore de toute la planète. Est-ce possible que je sois en proie à des hallucinations genre des fées, des sorcières et des démons qui pourraient surgir de mon esprit ? Je fais signe à ma sœur de s'éloigner du groupe.

Nous nous tenons au fond de la cour, près de la haie. Ma sœur, contrairement à moi, prend ça avec légèreté. Elle badine en prenant une voix fantomatique :

– Ouououh, le 'tit maire de la ville, il m'impressionne. Ououououh. Les conséquences risquent d'être graves, très graves. Ouououh.

– Arrête tes niaiseries, ma chère sœur. Je crois qu'il n'a pas tout à fait tort. Il ignore que nous sommes les instruments de ces phénomènes anormaux, sauf pour les geais bleus, il va sans dire.

– Teugh, teugh ! Je ne te reconnais pas, l'aînée, tu m'impressionnes. Tu parles comme une adulte, les instruments de phénomènes anormaux. Où est-ce que tu as péché ça ?

– C'est de mon cru.

– De ton cru ! dit ma sœur en pouffant de rire.

Son rire est si communicatif que je fais de même. Mon père siffle et il nous fait signe de nous taire. J'entends le maire dire d'une voix sinistre :

– L'attente risque d'être longue, très longue avant que tout revienne à la normale ! Pas d'électricité pour un bon bout de temps !

Oh *boy!* Pas de jeux vidéo ni d'Internet pour un bon bout de temps, sans oublier que je n'ai pas parlé à ma sœur de mes visions lors de l'électrocution, dans lesquelles j'ai vu des centaures, des fées, des sorcières et bien d'autres personnages. Les hallucinations et certains faits réels pourraient bien être l'œuvre de sorciers, et non la mienne.

Chapitre 13

UNE EXPLOSION ?

Jour 2, 20 h 15

Malgré l'heure tardive et le fait que tous ne sont pas rassurés et craignent le retour des oiseaux, le maire se fait rassurant et insiste pour que nous nous rendions au fossé. Armée de bâtons et de lampes de poche, la foule se déplace à une vitesse de tortue. Une fois arrivé sur lesdits lieux, le maire devient tout énervé. Malgré le début de la pénombre, il voit bien que son bâtiment est en piteux état.

– Mais qu'est-ce qui est arrivé à mon garage, à mon beau garage municipal ?

Contrairement au visage de Maxime, qui est redevenu normal, le bâtiment a encore la même allure, comme Samara et moi l'avons constaté quelques heures plus tôt, à mon grand désespoir.

– On dirait qu'une bombe a fait sauter le bâtiment, dit monsieur Deschamps, le père de Maxime. Qui aurait pu faire ça ?

Je scrute le visage de Simon et des autres gars. Vont-ils nous dénoncer ? Maxime donne un coup de pied à Simon, comme pour le faire réfléchir avant de parler. Ce dernier grimace et se croise les bras. Je comprends qu'il pratiquera l'Omerta, la loi du silence. Je souris de satisfaction et j'espère qu'il n'a pas remarqué mon rictus. Le soleil est dans son déclin et certains ont allumé leur lampe de poche.

– Si une bombe avait sauté, dit l'ingénieur en notant les dégâts, les planches se seraient éparpillées partout sur le sol à une bonne distance de la source de l'explosion. On dirait plutôt une implosion. Vous voyez, les planches semblent avoir été attirées vers l'intérieur. C'est, d'après moi, un autre signe de l'effet magnétique. Les objets sont devenus tellement chargés d'électricité que les planches ont été attirées vers l'intérieur.

– Je veux bien le croire, dit mon père en décollant une planche et en l'examinant de près, mais c'est du bois et selon moi… le magnétisme n'a pas d'effet sur le bois. Il y a bien quelques clous, mais pas assez pour provoquer cet effet.

L'ingénieur se gratte la tête.

– Sans mes appareils de mesure, je ne peux conclure. Pour l'instant, je considère que c'est la seule explication plausible.

– Étant donné qu'aucune explication hautement scientifique n'explique ce résultat catastrophique tangible, nous devons, chers concitoyens, dégager les portes de l'entrepôt pour accéder au matériel.

Tous s'affairent à enlever les pièces de bois cassé. En cinq minutes, les portes sont dégagées.

– Je ne sais pas ce qu'ils comptent en faire. Ça serait bien pour la construction de notre château, murmure ma sœur. Il ne manque que quelques feuilles de contreplaqué et des pots de peinture. Je pense bien que notre père pourrait nous les fournir sans problème.

– Il s'agit juste de le convaincre, dis-je en chuchotant.

– Je pense que si l'électricité ne revient pas demain, il va être obligé de faire quelque chose. Papa inactif ?

– Impossible ! dis-je en ricanant.

Nous transportons quelques planches. Les adultes font une belle pile de bois. Aussitôt que je m'approche du groupe, Simon s'impose.

– J'ai deviné que ces bouts de bois vous intéressaient, nous dit-il avec hargne. J'ai une 'tite nouvelle pour vous. Ils sont à nous. Si je ne t'ai pas dénoncée, eh bien, c'est pour ça !

– Quoi ? Pas question, lui dis-je. Nous en avons besoin pour la construction de notre château.

Aussitôt, je le pousse par terre. Ma sœur est prête à riposter s'il le faut. Maxime a beau être beau, il reste avant tout un gars, et surtout un gars du clan adverse. Il tire sur les cheveux de ma sœur, qui hurle aussi fort qu'une sirène de voitures de patrouille. Je prends une grosse roche à mes pieds et je suis sur le point de lui en asséner un coup quand mon père me l'enlève des mains.

Simon, qui chargeait vers moi avec une planche, trébuche sur une roche plate et plante l'objet directement entre les deux jambes de mon père. Il lâche la grosse pierre que je tenais et elle aboutit sur son pied. En ce début de pénombre, je le vois entreprendre immédiatement une danse endiablée en émettant de hauts cris et en tournant en rond. J'ai le fou rire. Il balance drôlement bien les hanches tout en conservant ses mains entre ses deux jambes. Je crois que c'est là que la douleur est la plus centralisée, et non à son pied. Il faut le faire, garder l'équilibre en bougeant ainsi ! Ma mère essaie de le calmer en posant ses deux mains sur ses épaules. Aussitôt, il s'écrase au sol en gigotant les pieds dans les airs comme un enfant qui fait une crise dans un centre commercial pour qu'on lui achète un cadeau. C'est là que je cesse de rire et que je comprends que sa douleur est intense. Ouchhh !

– Mais qu'est-ce qui se passe ? crie ma mère dans notre direction. Cet orage magnétique vous a rendus bien agressifs.

Elle n'a pas tort. Je me sens beaucoup plus alerte et explosive. Tous les feux des lampes de poche sont tournés vers moi, Samara, Simon et Maxime. Malgré la noirceur, je vois bien une expression indéfinissable parcourir leur visage, indiquant soit le découragement, soit l'horreur. Brrr ! Je me sens petite dans mes souliers.

Chapitre 14

J'AI UN BEAU CHÂTEAU

Jour 3, 13 h

Les repas sont maintenant assez succincts. Tout ce qui est organique et périssable a été enterré ce matin dans la grande fosse collective du maire. Personne ne voulait revivre l'incident d'hier avec les oiseaux. Notre nouvelle alimentation est maintenant uniquement composée de biscuits, de croustilles, de noix et de fruits séchés. Même pas de vaisselle à laver, on mange sur un essuie-tout. Malgré la grande quantité de boîtes de conserve stockées, ma mère ne les utilise pas. Je crois qu'elle n'a guère envie de les employer, puisqu'il faut laver et rincer les boîtes vides après usage et les mettre dans un bac à recyclage, tandis que le papier est brûlé au fur et à mesure dans notre petit foyer extérieur en fonte grillagé.

Depuis qu'elle ne boit plus ses huit tasses de café journalières provenant de sa super machine Keurig, elle me semble bien plus énervée. Elle fait tourner une touffe de cheveux avec son index. Plus elle tourne vite, plus elle est sur les gros nerfs.

Elle boit bien du thé vert et des tisanes à la camomille, mais les deux ne semblent pas la déstresser. Elle se prépare chaque matin une grosse théière sur le barbecue. Elle est là à crier pour un rien. Je crois que je l'aimais mieux quand elle buvait du café et qu'elle cousait devant sa machine pour nous faire de jolies toilettes, des coussins, des trucs pour les divans que mon père fabrique, ou encore des rideaux pour la compagnie Tissu en ville. Ma mère travaille habituellement de nombreuses heures, et je crois que ne rien faire, ou presque rien, la rend folle. Mes parents ont ce point en commun. L'inactivité les rend fous. Pour se calmer, elle répare des t-shirts de mon père et d'autres vêtements qui ont besoin de quelques points de couture à la main.

Mon père s'est parfaitement remis de son accident d'hier. Comme il ne peut utiliser la tondeuse électrique, il s'active à couper la pelouse avec une paire de ciseaux. Il s'est relevé et semble constater que le travail est immense. C'est sans trop de difficulté que je l'initie à notre projet, soi-disant pour une pièce de théâtre. Il est assez réceptif.

– Et où voulez-vous construire vos décors de théâtre ?

– Au pic du Corbeau.

Comme tout bon père de famille, il est surpris par l'emplacement que nous suggérons. Sur le coup, il ne trouve que des défauts : trop loin, trop haut, trop exposé au vent, trop dangereux, trop près de la rivière, trop rocheux, trop plat, trop venteux, trop. Rien que des trop.

– Justement, nous voulons recréer les abords d'un château, et l'action se déroule au pied de ce château, en avant, pas derrière.

– Comme ça, ce ne sera pas au haut du pic ? demande-t-il.

Je sens que nous tenons un bon point et qu'il fléchit.

– Non, papa, le rassurons-nous à l'unisson.

– C'est sûr que nous aurons besoin d'un lieu pour nous changer, ajoute Samara. Il faudra un accès à l'arrière-scène par une porte discrète, du genre trompe-l'œil.

– D'accord ! Mais avouez que c'est inhabituel. Une scène dans une pente.

Mon père est d'abord allé chercher de l'aide. Il n'en manque pas depuis la panne d'électricité. Puis, il a pris la grosse brouette verte qui nous a servi de transport lors de l'accident. Il s'est rendu à l'atelier. Il était déjà 15 h lorsqu'il est revenu avec Paul Léveillé, le père de Charline, et la brouette pleine de planches de bois. Notre club Salsa au complet les a suivis. Pendant que les adultes construisent, nous nous amusons à chanter et à danser en rond une comptine avec beaucoup d'entrain. Habituellement, on forme deux rangées qui s'affrontent en dansant et en chantant à tour de rôle un couplet, mais comme nous ne sommes que 5, nous optons pour un autre style de danse.

J'ai un beau château.
Ma tantirelirelire
Ah mon beau château.
Ma tantirelirelo.

Le nôtre est plus beau.
Ma tantirelirelire
Le nôtre est plus beau.
Ma tantirelirelo.

Nous le détruirons.
Ma tantirelirelire
Nous le détruirons.
Ma tantirelirelo.

Comment ferez-vous ?
Ma tantirelirelire
Comment ferez-vous ?
Ma tantirelirelo.

En prenant une pierre.
Ma tantirelirelire
En prenant une pierre.
Ma tantirelirelo.

Quelle pierre prendrez-vous ?
Ma tantirelirelire
Quelle pierre prendrez-vous ?
Ma tantirelirelo.

Celle que voici.
Ma tantirelirelire
Celle que voici.
Ma tantirelirelo.

En deux temps trois mouvements, ils construisent le squelette des murs avec un haut crénelé comme le haut de remparts d'un fort, ainsi qu'une petite plateforme au sol à l'arrière accessible par la porte-trompe-l'œil. Ils recouvrent l'ossature d'un tissu imitant un mur de pierre. Je trouve que c'est assez décevant. J'espérais qu'ils y mettent un peu plus de réalisme et de cœur. Bah ! il ne faut pas trop en demander.

– P'pa ! Il manque quelque chose. Il manque…

Il nous manque la passerelle au haut du rempart pour pouvoir lancer des projectiles aux attaquants, mais la dernière partie, je ne peux le lui dire.

– Quoi donc ?

– Une passerelle au haut du mur pour pouvoir mettre des affiches annonçant le nom de la pièce et un escalier pour l'atteindre.

Bien sûr, je mens. Ma sœur sourit de connivence. Il regarde le restant des planches.

– Je n'en ai pas assez, dit-il.

Il regarde sa montre et nos amies.

– Déjà 19 h. Vos mères vont être inquiètes. Ça sera pour demain.

Nous lâchons un gros soupir. Il a bien raison. Nous marchons une bonne demi-heure. En sortant du boisé Naïades, les mères nous attendent avec un air pas trop plaisant. Oh ! là ! là ! Je crois que mon père va se faire sermonner par ma mère. On devra peut-être dire adieu aux autres travaux.

Jour 4, 11 h

Je fais l'inspection des lieux et j'accède au haut de l'escalier super abrupt que mon père vient de finir avec monsieur Léveillé. Ce matin, nous avons été surprises d'entendre notre père nous réveiller et nous apprendre qu'il s'en allait poursuivre les travaux. Il semble que les remontrances de ma mère ont eu l'effet inverse.

J'accède à une passerelle et je peux marcher le long du rempart. À cette hauteur, je vois parfaitement les environs sur une distance d'au moins 200 mètres au sol, ce qui donne assez de temps pour parer une attaque éventuelle. Plus loin, je ne vois que la forêt et la rivière.

– C'est parfait, papa, dis-je en pointant mes deux pouces vers le haut.

Les filles applaudissent et mon père est bien content de nous laisser. Il est pratiquement midi et nous nous installons à l'entrée de notre décor. Nous mangeons des pommes, des craquelins, des petites framboises des bois et de l'houmous réhydraté. Nous nous apprêtons à nous lever et à faire des bulles de savon géantes avec notre ensemble lorsque le clan des gars arrive. Ils sont tous déguisés comme l'autre jour. Ils regardent notre château de travers. Aussitôt, Simon brandit son épée en criant :

– À l'attaque!

Il a l'air vraiment survolté. Je le vois dans ses yeux qui étincellent comme des charbons rouges.

Vite, il faut que je l'arrête. J'ai le pressentiment qu'il veut utiliser ses pouvoirs.

Chapitre 15

LES RÈGLEMENTS

Il faut que j'intervienne et que je lui fasse peur. Je plisse les yeux et pointe un bras en avant de l'autre, les doigts bien tendus comme dans une pose de karaté, en criant :

– Un pas de plus et je te transforme en moustique !

Mission accomplie. Il a compris ma menace. Il abaisse son épée et fait signe aux autres d'arrêter. Il trouve même un parfait stratagème pour m'amadouer.

– Il faudrait établir des règles, annonce-t-il.

– Pourquoi ? je demande.

De ses yeux éblouissants, je sens planer une catastrophe.

– Un accident est si vite arrivé, ironise-t-il.

Plein de confiance, Simon s'approche de nous et monte sur un terre-plein situé parallèlement au pic. Il devait avoir une petite faim, car il sort de sa poche arrière une grosse carotte aux fanes ramollies. Les autres se placent derrière lui. Nous formons deux rangées, les gars d'un côté, les filles de l'autre, moi en face de Simon.

– Première louâaaa, dit-il en croquant dans la carotte. La guerre commence maintenant!

Il est agaçant avec son expression « première loi » tout étirée. Moi qui déteste Simon, je le déteste encore plus maintenant qu'il semble vouloir mener tout le monde. J'ai bien envie de le changer en petit caniche jappeur. Je me retiens, au cas où il dirait quelque chose d'intelligent.

– Deuxième loâaaa, la guerre finira lorsque le château sera détruit.

– Wow! je crie. Il n'est pas question de détruire le château.

– La guerre, c'est la guerre. Nous allons détruire ce château, dit-il en pointant de son épée notre décor.

– Nous allons le protéger, déclare Samara.

– Ça ne sera pas trop dur de détruire ce décor de carton, renchérit Cédric. Quelques coups d'épaules et vlan ! à terre.

– Nous allons le protéger, répète Samara.

– Vous allez vous mettre devant comme des martyrs ? plaisante Paulo.

– Oui, c'est ça ! Nous allons le protéger, crie Charline.

– Nous allons vous lancer des roches, dit Hugo en fronçant les sourcils.

– Vous risquez de tuer quelqu'un si vous faites ça ! s'alarme Gabrielle.

– C'est vrai, dit le beau et charmant Maxime avec une mèche de cheveux qui tombe sur ses yeux brun velours.

Simon regarde autour de lui.

– Tiens ! Il y a beaucoup de cônes au sol. Ils nous serviront de munitions ; pas question d'utiliser autre chose.

– Très bonne idée ! approuve Samara. Vite, les filles, ramassons des cônes.

– Pas si vite, crie Simon. Tout d'abord, finissons nos règlements.

Bien sagement, nous maîtrisons notre désir de nous approvisionner et l'écoutons d'un air ennuyé.

– Troisième LOÂAAAAA.

« Ah ! Qu'il est agaçant à la fin avec le mot LOI si étiré ! »

– Les cônes ramassés seront placés dans un endroit où seule l'équipe qui les a ramassés pourra les toucher. Alors, décidons de l'emplacement de nos munitions. Quel sera votre endroit ?

– Ben, dans notre château, évidemment, dit Marie-Pier.

– Et nous, ce sera…

Il prend un certain temps à choisir un lieu. Derrière lui, il y a des vestiges d'une ancienne clôture en pierre. Un groupe d'arbustes entoure ses ruines.

– Là-bas, suggère Cédric en pointant l'endroit.

Après hésitation, Simon accepte et ajoute :

– Ce sera là, et vous, les filles, pas touche. Nous mettrons des planches de l'entrepôt par-dessus notre réserve. Et si jamais quelqu'un ose piller notre réserve, gare à vous. Nous allons vous torturer.

– Vous autres aussi, pas touche, crie Samara, verte de rage. À moins que vous vouliez tous avoir des faces de singe.

– J'ai une tente, dit Paulo. Peut-être pourrons-nous la monter et y mettre nos réserves ? Ce sera mieux qu'un endroit à découvert.

– Excellente idée, affirme Simon. Mais pour l'instant, vu que la guerre est déclarée, ce sera cet endroit.

Marie-Pier et Gabrielle se lancent à fond de train dans la cueillette des cônes.

– Arrêtez ! J'ai pas fini, hurle à pleins poumons Simon. Il faut discuter des heures.

– Des heures ? je demande. Des heures comme les heures d'ouverture d'une épicerie ?

Les filles rient de ma suggestion.

– Ben oui, dit Simon. Penses-tu qu'on va se battre 24 heures par jour ?

– Ouain, dit Paulo en affichant une grimace sur sa face plate.

– Ce sera de 8 h du matin à 8 h du soir avec des pauses d'une heure pour les repas. Compris ?

On dit tous oui et on court ramasser des cônes. Pour Gabrielle et Charline, c'est plus facile de faire un panier avec leur jupe. En un voyage, elles accumulent chacune au moins une quarantaine de cônes. Ma sœur et moi portons des salopettes aux mille et une poches. Ca aussi, ça aide, mais nous ne sommes pas aussi rapides qu'elles. Il n'y a que Marie-Pier qui est totalement inefficace avec ses petites mains et ses shorts lilas sans poche.

Une heure plus tard, Simon lance :

– À l'attaque !

Nous sommes surprises. Pourquoi attaquer quand nous n'avons qu'un modeste tas de cônes, même pas assez pour un combat de deux heures ? On se positionne en avant du château, car on ne veut pas leur dévoiler la porte trompe-l'œil.

Nous lançons toutes nos munitions et, en quelque 15 minutes, nous n'avons plus rien. Nos ennemis chargent avec leurs épées vers nous. Nous n'avons rien pour les bloquer. Nous nous réfugions derrière les paravents en cherchant une solution. Paulo, avec un petit canif, découpe à grands coups le tissu. Maxime traverse par l'ouverture et monte dans l'escalier abrupt. Pour faire le fin finaud, il se pend à un des créneaux. Il gigote comme un fou et le mur craque. Un pan s'abat au sol. Cédric l'imite. Un plus grand pan tombe.

Notre beau château (une façon de parler, il n'était pas si beau que ça) a été détruit en l'espace de quelques minutes. Simon me regarde d'un air vainqueur et décrète que la guerre est finie.

– Bon sang ! Vous n'auriez pas pu y aller plus mollo pour que la guerre dure au moins quelques jours ? lui dis-je.

– Ben, on n'a pas fait exprès, dit Paulo. C'était à vous d'en construire un plus solide.

Je suis passée à deux doigts de transformer son beau visage rond en face de raton-laveur. Heureusement que je me suis retenue.

Chapitre 16

LA CARTE

Jour 5

Je crois que nos parents s'habituent à l'inactivité. Nous n'avons pas avoué à notre paternel que notre décor de théâtre a été détruit. Nous sommes complètement déconnectées, dans notre bulle, ne sachant plus quoi faire. Pas d'Internet, pas de jeux vidéo, pas d'émissions de télévision à écouter, pas de cinéma. Quoi faire ?

Ma mère placote avec les voisines et mon père circule en vélo avec d'autres pères, prétendument pour patrouiller dans les rues. Mon papa s'est laissé pousser la barbe depuis trois jours. Ça lui va bien. Il a même un air très séduisant à la Ben Affleck, mais avec des cheveux blonds et une barbe un tantinet plus foncée. Wow ! Je ne sais pas s'il va la garder. Ce serait pas mal chouette.

De temps à autre, un policier à pied fait une apparition et nous informe des dernières nouvelles. Ce midi, notre père a raconté que beaucoup plus au nord de la ville, les gens se ravitaillaient en eau.

– Ils font la chaîne. Il y a une source d'eau à quelques kilomètres d'ici. Si jamais nous commençons à manquer d'eau potable, il va falloir se joindre à eux.

– En attendant, la pluie s'en vient, dit ma mère tout énervée.

Le ciel est plein de gros moutons noirs et la température s'est rafraîchie. Ah, non ! Pas encore ce ramassage d'eau ! Mes parents et les voisins sortent tout leur attirail de pots, de seaux et de chaudrons pour recueillir cette pluie généreuse. Pour nous désennuyer, nous nous installons sous la grande véranda vitrée de derrière, à l'abri de la pluie si jamais il pleut des cordes.

C'est un ajout que mon père a fait à la maison. Lorsqu'en hiver le temps est chaud, nous nous y installons pour admirer le paysage, mais en été, habituellement, il y fait trop chaud, sauf les jours couverts comme aujourd'hui.

Samara court chercher son matériel de dessins et s'installe. Elle prend un beau et long rouleau de papier blanc que l'épicier du coin lui a donné.

Il y a quelques semaines, Samara a été impressionnée par un rouleau de papier d'un blanc pur que détachait l'épicier pour envelopper la viande. Elle avait les yeux aussi ronds et aussi gros que des pièces de deux dollars.

– Oh ! Maman, as-tu vu les belles feuilles de papier ? Elles sont grandes, hein ! Tu ne pourrais pas m'en acheter pour que je fasse de beaux grands dessins ?

– Ça se vend en gros rouleaux, ma chérie. T'en aurais pour un siècle !

Voyant sa figure se rembrunir, l'épicier lui avait souri et lui avait dit en décrochant le rouleau :

– Il ne reste qu'une dizaine de mètres dessus. J'ai un autre beau gros rouleau tout neuf en arrière. Je vais aller le chercher et l'installer. Celui-là, je te le donne.

Samara était devenue toute rouge et maman lui avait dit :

– Alors, qu'est-ce qu'on dit ?

– Merci, avait répondu ma sœur.

– Ça me fait extrêmement plaisir de te le donner, jolie demoiselle.

Elle déroule ce fameux rouleau acquis si facilement sur le plancher de céramique et découpe une feuille qui mesure 1 mètre sur 1 mètre 50. Elle le pose sur notre ancienne table à dîner en bois d'acajou. Elle fixe les quatre coins de sa feuille avec des pierres plates. Grimpée sur une chaise et à demi pliée sur sa planche de travail, elle dessine un pays imaginaire. Je n'y vois que des dunes de sable en plein centre du papier.

– C'est ennuyant, ce que tu dessines, dis-je. C'est la première fois que je vois une carte aussi peu réussie.

Au lieu de se fâcher de mon commentaire peu élogieux, elle assume.

– Ouain, c'est la première fois que j'essaie de dessiner une carte. Je n'ai pas beaucoup de pratique.

– Tu pourrais dessiner un château où une belle princesse se meurt et un beau prince accourt vers elle. Ce serait tellement romantique.

– Elle se meurt de quoi ?

– D'amour, voyons !

– Ah ! Que tu peux être fifille des fois ! Elle se meurt d'un rien du tout, voilà !

– Ça ne se dit pas, mourir d'un rien.

– Ben quoi ? On dit bien avoir l'air d'un rien.

– Non, on dit n'avoir l'air de rien.

– Peu importe. Je vais maintenant dessiner un château des plus EX-TRA-OR-DI-NAI-RES.

Puis, en haut et à droite des dunes, elle trace les contours d'un château bizarroïde sur un socle très élevé orné de nombreuses tourelles sans fenêtres et sans portes sur les deux faces visibles.

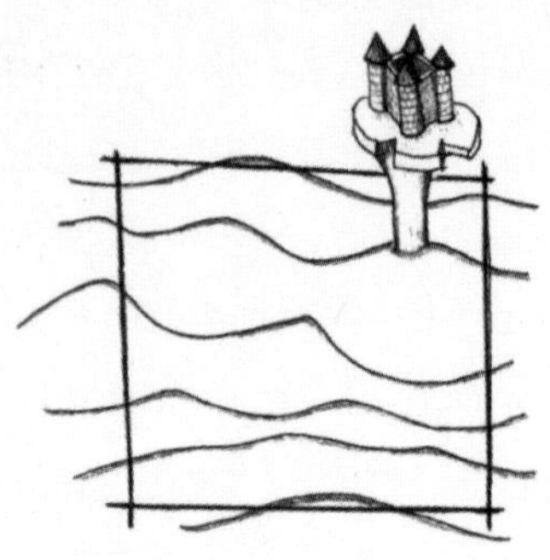

– Ton château n'a pas de porte, j'observe.

– C'est juste une illustration de château. Ce n'est pas nécessaire que ça ait l'air vrai, vrai, vrai. Écoute, j'improvise. Bon, j'ai fini !

– T'appelles ça fini ? Mais, c'est seulement une grande feuille blanche avec quelques gribouillis en plein centre.

– Sauf là où le dessin est plus concentré, dit-elle entourant d'un grand carré de 60 sur 60 centimètres son croquis.

Comme pour mieux admirer son travail, elle place son dessin sur le plancher en replaçant les pierres aux quatre coins.

– Samara, au risque de me répéter, je n'ai jamais rien vu d'aussi mauvais.

Les joues rouges, ma sœur crie à tue-tête :

– T'es vraiment pas gentille, Saléna. Je fais ça pour te faire plaisir. Voilà ce que je vais faire : je vais détruire ma carte !

Elle se dresse sur sa chaise, monte sur la table et saute à pieds joints au centre du carré de son dessin placé au sol. Et là, j'en suis toute estomaquée. Elle a disparu devant moi sans avertissement. Je n'en crois pas mes yeux. Je glisse les roches à l'extérieur du papier et le soulève. Il est intact et sans déchirure. Bien sûr, elle n'est pas en dessous et il n'y a pas de trou ni dans le papier, ni dans le sol.

– Mais comment a-t-elle fait ça ? je me demande à haute voix. Samara, ouh ! ouh ! Où es-tu ?

J'ai l'air d'une parfaite imbécile, d'une débile parlant à un grand morceau de papier. Le silence total. Devant mon incompréhension absolue, je n'y vois qu'une chose à faire : la même chose que ma sœur.

J'étends la feuille au sol. Je grimpe sur la même chaise, mais avant de quitter les lieux, d'une main, je saisis une des pierres plates. Mon instinct me dicte d'en prendre une. Je crois que cette roche sera comme un lien me liant à mon monde, comme une bouée à la mer, une bouée à laquelle on peut se raccrocher à la vie, au monde réel. Je la glisse dans la poche latérale de ma salopette rose.

Je suis sur le point de sauter lorsqu'un éclair zigzague dans le ciel et un formidable grondement retentit. La pluie commence à tomber et je m'élance vers la cible. Au dernier moment, je vois Simon et Maxime surgir dans notre véranda pour se protéger de la pluie.

Mais qu'est-ce qu'ils sont venus faire chez nous ? Hélas ! Ils m'ont vu m'éclipser vers l'autre monde. Une fraction de seconde avant de traverser dans l'autre monde, je les aperçois marchant vers la carte.

– Noooon ! je crie vers eux.

Je tombe, je suis en chute libre. Je traverse un espace vide. Je regarde tout autour de moi. Tout est blanc.

Je tombe face contre terre, la figure dans du sable chaud. Je me relève et je reste sans voix. Les lieux sont tels que je pensais, loin d'être enchanteurs. Je dirais même qu'ils sont sinistres. Samara est devant moi et elle pivote sur elle-même, comme perdue dans cet univers sans fin. On n'y voit que du beige et un ciel blanc.

– C'est endroit est loin d'être accueillant, dis-je à ma sœur en me relevant et en me secouant. T'aurais pas pu utiliser un crayon d'une couleur autre que beige ?

– La ferme ! crie ma sœur. Ce n'est pas beige, c'est brun banc de sable, numéro 1094 de Prismacolor.

– Oh ! dis-je de façon sarcastique. Madame, connais tous les numéros de ses…

Ma phrase est interrompue par l'arrivée d'une masse sur mon dos. Je tombe au sol. Paniquée, je crie et me retourne. C'est Maxime. Je lui donne un coup de pied pour qu'il se décolle de moi au plus vite, mais Simon atterrit à moitié sur Maxime et à moitié sur moi. Encore trop énervée, je crie. Ma sœur rit comme une défoncée.

Son rire me calme et je me relève une seconde fois. De façon exceptionnelle, je suis contente de les voir. Je me sens moins seule et moins vulnérable en sachant que nous sommes quatre.

Ils sont aussi déboussolés que nous. Dans ce paysage sans vie, nous pivotons sur nous-mêmes de nombreuses fois. Sur toute la surface, nous ne voyons que des dunes de sable. Qui dit sable, dit serpents à sonnette et scorpions, et j'ai horreur de ces bestioles.

– Où sommes-nous ? se demande Maxime.

– On dirait qu'on est dans un désert inhabité, conclut Simon.

– On dirait bien, acquiesce Samara en déglutissant.

« Ouais, j'ai envie de dire, un monde que ma sœur a créé. » Je me retiens de parler. La situation est assez compliquée comme ça. Je ne vais pas me mettre à tourmenter ma sœur qui est, je crois, aussi désespérée que moi.

– Que faisons-nous ? je demande.

– Montons au sommet d'une dune ; peut-être qu'il y a des habitations plus loin, murmure Maxime, intimidé par le vaste espace vide.

Nous choisissons la dune qui nous semble être la plus haute parmi celles nous entourant. Nous tentons d'accéder à son sommet. Le parcours est difficile. Le sable rentre dans nos espadrilles et nous tombons plus que nous n'avançons. C'est ainsi que nous découvrons les difficultés reliées à l'escalade des pentes sablonneuses.

Pour ma part, je marche en surveillant mes pieds et chaque petit grain de sable. J'ai sorti ma pierre et je suis prête à assommer la moindre bestiole qui osera croiser mon chemin, ou plus précisément, un de mes pieds. Les autres sont beaucoup plus en avant lorsqu'ils lâchent des cris de surprise.

– Qu'est-ce que c'est que cette chose en plein milieu d'un désert ? hurle Simon.

– On dirait bien un château, dit Maxime. Il est trop…

– Étrange, dis-je en l'apercevant.

Un château se dresse devant nous. Le mot château ne colle pas vraiment à cette construction en pierres lisses et unies. On dirait un gros bloc de glaise beige où on aurait oublié de mettre un pont-levis, des portes et des fenêtres pour qu'on puisse le considérer comme une sorte d'habitation. Ce gros bloc est posé sur un haut socle mince dont la partie supérieure semble s'être ouverte en larges pans, comme des pétales d'une fleur sous la pression d'un doigt.

– Il est exactement comme je l'ai dessiné, déglutit à nouveau Samara.

– C'est toi qui as dessiné ce truc affreux ? demande Maxime.

– Ouais.

– Eille, t'aurais pas pu en dessiner un plus… réaliste ? demande Simon.

– Je sais bien, mais je pensais qu'il suffisait de…

– Ouais, elle pensait qu'elle n'avait qu'à dessiner une idée de château, dis-je en marchant vers la construction.

Les autres me suivent.

– Quoi ? Nous sommes dans un dessin ? s'étonne Maxime.

– Ben oui, réponds-je. Nous avons sauté dans un dessin. Vous vous en souvenez, non ?

– Ah oui ! commence à se souvenir Simon. Mais je n'y comprends rien.

Il enlève ses espadrilles, qui sont remplies de sable.

– Je vais pouvoir marcher plus vite ainsi, dit-il.

– T'as pas peur qu'il y ait des tarentules ou des scorpions ? je lui demande.

– En as-tu dessiné ? demande-t-il à ma sœur.

– Non, pas à ce que je sache.

Maxime enlève lui aussi ses chaussures de toile. Moi, je ne fais pas confiance à ma sœur. Peut-être qu'elle a dessiné une petite tache quelque part sans y penser et que ce sera en fait un gros arachnide poilu et vénéneux. Dans ces conditions, je préfère les garder.

Plus nous nous approchons, plus la pierre semble réelle. Cette tour-château fait au moins 100 mètres de haut.

– C'est impressionnant, dit Simon. Mais comment se fait-il que nous soyons tous ici dans un dessin ?

– Comme dirait monsieur le maire : « ça ne prend pas la tête à Papineau » pour savoir que nous avons des pouvoirs depuis l'orage magnétique, depuis que nous avons été électrocutés. C'est un miracle que nous nous en soyons sortis vivants. Donc, nous sommes comme des mutants, nous avons subi une modification. Toi, Simon, tu lances des éclairs, et toi, Samara, il semble que ce que tu dessines se transforme en réalité.

– Et toi ? dit Simon. C'est quoi ton pouvoir ?

– Ben, il semble que mon pouvoir consiste à transformer les gens durant un court laps de temps.

– Tu veux dire que j'ai vraiment eu une vraie face de singe, dit Maxime en se touchant le visage.

– Eh oui, je réponds.

– Et Max ? demande Samara.

– On dirait que je n'en ai pas, conclut-il.

– Tu dois bien en avoir un, suggère ma sœur.

– Ou t'as peut-être pas encore trouvé ton pouvoir, je juge.

Un cri strident attire notre attention, un cri mi-humain, mi-bête. Rapidement, nous nous réfugions au pied du château. De là, les larges pans du promontoire au haut du socle barrent la vue de quiconque jette un coup d'œil en bas. Nous entendons des sabots de cheval marteler le pavé aux abords du château.

– Qui va là ?

La voix de ténor résonne dans l'espace vide.

– Thaumas, ne vois-tu donc personne ? demande une voix féminine.

– Non, hélas ! Ma reine, je ne vois rien qui vaille. Que du sable et du sable !

– Que s'est-il passé, mon roi ? reprend la voix féminine. Le château possédait de belles et grandes fenêtres, de jolies portes et un joli pont où nous pouvions nous promener. Où est passée la magnifique forêt, l'eau qui coulait au pied de notre palais, où sont nos gens ? Maintenant, nous sommes en plein milieu de nulle part. Au-delà de ces dunes de sable, je ne vois que la fin du monde, comme la limite d'une page blanche.

– Je n'en sais rien. Homados, notre meilleur homme de main est parti tôt ce matin pour retrouver un guérisseur pour sauver la vie de notre très chère fille et princesse Adeline, et voilà, je ne le vois point. Il semble avoir disparu. Notre fille se meurt. Si aucun soin ne lui est apporté dans les minutes qui suivent, elle…

– Ayoye ! murmure Samara. Qu'est-ce que j'ai fait ? Une princesse qui se meurt. Elle se meurt de quoi ?

– D'après ce que je comprends, ce château a été déplacé et transformé, je chuchote à mon tour. Nous sommes tous dans le trouble et pas à peu près.

– On dirait qu'ils sont prisonniers, marmonne Simon. Tu n'aurais pas pu dessiner une porte pour qu'ils puissent accéder au sol ?

– J'ai dessiné ce qui me passait par la tête. Je n'ai pas réfléchi.

– Tu ne pourrais pas réparer tes erreurs ? demande Maxime.

– Mais, je n'ai pas mon crayon et, en plus, je ne saurais comment m'y prendre.

– Thaumas, n'entends-tu pas des voix ?

– Tu as bien raison, ma reine. Centaura, appelle mon cousin, Uryneus, pendant que je fais le guet.

– Zut ! Nous parlons trop fort, je chuchote.

Nous nous collons contre la paroi pour nous cacher le plus possible. Involontairement, nous prions pour que rien de trop pénible ne nous arrive. J'ai tellement peur que je ferme les yeux. J'entends les dents de ma sœur claquer et les genoux de Maxime se cogner l'un contre l'autre.

Chapitre 17

LA FAMILLE D'ADELINE

J'entrouvre les yeux et je vois un cheval voler. Je prends la main de Saléna et, avec l'autre main, je saisis celle de Simon et je serre très, très fort. Mon cœur bat à toute vitesse et je crois que je vais défaillir. Ce cheval ailé n'est pas un pégase, puisqu'il a une tête et un torse humains. Il tient un grand arc tendu. Mes genoux fléchissent. L'arc est pointé vers nous. La bête ou l'homme nous a repérés. Elle remonte en criant d'une voix de baryton :

– Ce sont des enfants, des enfants humains !

– Allez ! Sortez de votre cachette, hurle la première voix de ténor entendue. Enfants ou pas.

– Qu'est-ce qu'on fait ? je chuchote. Nous n'allons quand même pas nous livrer à eux !

– On n'a pas trop le choix, murmure Maxime. De toute façon, ce Gryneousse…

– Uryneus, je l'informe.

– Ouais, cet Uryneus a un avantage sur nous. Il vole, poursuit-il. D'ailleurs, où est-il passé ? Je ne le vois plus.

Nous le cherchons du regard. Il n'est nulle part. Nous sommes tous inclinés vers la gauche lorsque des battements d'ailes nous font nous retourner vers la droite. Il est devant nous dans les airs, tenant un arc tendu, et il se pose à quelques mètres de nous. Nous crions comme des perdus.

– Arrêtez de crier et avancez !

– D'accord ! je lui crie en levant les mains dans les airs comme si c'était un policier qui nous arrêtait.

Je murmure aux autres en tremblant :

– Nous ne pouvons jouer au chat et à la souris, surtout qu'il n'y a pas de trous de souris où se faufiler. Allons-y !

Péniblement, nous nous présentons en nous éloignant de notre cachette. Du haut du promontoire, deux centaures non ailés se tiennent en bordure et nous observent. La centauresse est d'une grande beauté, avec ses longs cheveux blond platine et ses grands yeux de biche qui semblent, à cette distance, être d'un bleu ou vert profond. L'homme à ses côtés a un visage dur et n'apprécie visiblement pas notre présence.

– Qu'avez-vous fait ? vocifère-t-il.

– Euh ! Rien, je réponds comme si je me sentais coupable de ce qui leur était arrivé. Nous avons atterri ici par hasard.

– Par hasard, ricane-t-il. Je n'entends pas à me faire berner par des humains, par surcroît des enfants. Les humains sont la pire race de menteurs. Je suis surpris qu'ils nous envoient des enfants. Ils ont réussi par un moyen quelconque à arracher notre château de notre beau pays Hautcentaure et nous planter ici dans un monde vide et sans vie. De plus, ils ont transformé notre merveilleux palais en… une sorte de cylindre sans esthétique. Notre beau château Otna aux mille tourelles et aux mille fenêtres. Sans parler de ma fille, la princesse Adeline, qui est tombée gravement malade pour un rien. Elle va mourir de cette maladie, de ce rien. Nous sommes ici, sans ressources, dans un pays désertique.

Je me sens obligée de répondre.

– Nous n'y sommes pour rien, Majesté, je chevrote.

Ils sont là-haut et Uryneus se tient derrière moi, toujours armé. Ma sœur et les deux suiveurs sont pétrifiés.

– Tu vois, me marmonne ma sœur, ça se dit mourir d'un rien.

Je lui grimace. Simon, qui est placé entre nous deux, se raidit davantage, pris entre deux sœurs qui se détestent.

– Nous ne faisons pas confiance aux humains, hurle le roi centaure de sa plate-forme.

Nous avons été bannis de votre pays depuis des siècles par vos ancêtres au nom de l'équilibre de l'univers. Fort heureusement, les dieux nous protègent. Nous avons trouvé refuge dans un pays où nul humain n'est parvenu à nous ennuyer jusqu'à ce jour, sauf vous, maintenant.

– Ah ! je lance sans que je puisse retenir ma surprise en apercevant quatre autres centaures ailés se dirigeant droit vers nous.

Ils affichent un air aussi sévère et froid que le premier. Ils s'approchent de nous. Le battement de leurs ailes est impressionnant. J'aimerais bien fuir, mais où ? Sans qu'on puisse faire quoi que ce soit, un filet s'abat sur nous. Pendant un court moment, nous sommes totalement paralysés.

Alors que nous nous élevons dans les airs, nous nous débattons et crions. Rien n'y fait. Le filet se resserre et nous nous retrouvons les uns par-dessus les autres. J'ai la tête en bas et les pieds dans les airs, coincés entre Maxime et ma sœur. J'étouffe. Fort heureusement, le vol n'est que de courte durée.

C'est sans ménagement qu'ils laissent tomber leur colis au pied du château. Le choc est brutal. Nous crions de douleur lors de l'atterrissage sur le macadam. J'entends le roi les féliciter individuellement en les nommant par leur nom chacun à leur tour.

– Merci, mes chers cousins Uryneus, Mryneus, Eryneus, Cryneus et Ryneus… Bizarrement, ces prénoms me disent quelque chose, je ne saurais vous dire pourquoi. Mon cerveau turbine à plein régime, surtout dans cette position. J'ai toujours la tête en bas et je sens qu'elle est rouge comme une tomate.

– …d'avoir neutralisé ces humains de petits formats, poursuit-il.

Quoi, pour lui nous sommes maintenant des humains de petits formats ? J'ai bien envie de le transformer en viande hachée.

– Que faisons-nous d'eux ? demande celui qui a des sabots noirs très reluisants.

C'est tout ce que je vois de ma position dans ce foutu grand sac maillé où nous sommes tous empilés. Je ne vois que des sabots et les chaussettes de Simon. Ces dernières auraient bien besoin d'être lavées. Elles sentent le fond de bottines.

– Ces étrangers me semblent inoffensifs, dit le roi.

– Majesté, dit un des étalons, ils ne sont pas si anodins que ça, car ils viennent de traverser le voile intemporel.

– C'est vrai, répond-il.

– Et ils ont modifié notre environnement, dit un autre.

– Eux ou leurs aînés, dit une autre voix.

– Eh bien, reprend le roi, libérons-les et soyons sur nos gardes.

Ce n'est pas trop tôt. Nous nous retrouvons assis devant sept centaures, dont une femelle et cinq ailés. Nous sommes à leurs pieds et le spectacle est impressionnant. Ils sont grands et hauts. Malgré une douleur à l'épaule causée par la chute, je ne me lamente pas.

– Nous pourrions les vendre, dit le centaure blond ailé.

– Et à qui ? demande celui qui a les cheveux châtains tressés.

Il se penche vers nous et nous nous aplatissons.

– Même Mercure n'en voudrait pas.

Mercure, tiens ! C'est ce que je cherchais, le lien de ces centaures ailés. La première lettre de leurs prénoms peut former le mot Mercure, le dieu du commerce.

Tournoyant autour de nous et nous jugeant peut-être comme étant vraiment des créatures insignifiantes, ils nous convient à pénétrer dans le château. Je ne vois aucune porte, sauf qu'il y a un décalage entre une tourelle et un des murs. Un trompe-l'œil. Même ici, on retrouve un trompe-l'œil.

À l'intérieur, tout semble avoir subi une transformation, à moins que ce soit là leur façon de construire. Les murs sont inclinés comme s'ils avaient été l'objet d'une compression latérale et les planchers ne sont pas à niveau. Une série de portraits est affichée à l'entrée et, à mon avis, le peintre a sûrement un problème de vision, puisque tout semble déformé. Les visages sont comme étirés vers le haut et le bas. Nous entrons dans une jolie salle principale circulaire dont le plancher est parfaitement à niveau. Dans cette salle, il n'y a pas de siège. C'est un peu normal, je pense, puisque les chevaux ne s'assoient pas dans des fauteuils.

Le roi et la reine se tiennent l'un à côté de l'autre et nous font signe de nous asseoir. Nous regardons autour de nous et ne voyons qu'un beau plancher en marbre.

– Assoyez-vous, insiste Thaumus en s'assoyant par terre, les pattes de devant bien tendues.

Sa voix de baryton résonne dans la pièce vide et nous impressionne. Aussitôt, on s'assoit en tailleur sur ce sol froid en marbre poli aux cercles concentriques alternant du noir au blanc. Ce qui m'étonne, ce sont les incrustations de têtes de chevaux positionnées à six endroits. Comment peuvent-ils dessiner des têtes de chevaux alors qu'ils ont des têtes humaines ?

– Pourquoi nous avez-vous retiré de notre pays ? demande-t-il.

– Quel pays ? marmonne ma sœur.

– Grand dieu, notre pays, le Hautcentaure, se fâche le roi.

– Désolée, nous ne connaissons pas ce lieu.

– Ah ! Vous, les Terriens, vous nous méprisez depuis des siècles. Nous avons réussi jusqu'à ce jour à nous tenir loin de vous, et voilà que vous venez nous déranger, nous arracher à notre pays, le Hautcentaure.

J'essaie de me faire une image mentale de ce pays et de ses habitants. Nous sommes à l'intérieur du château Otra et nous sommes en présence du roi, de la reine et de cinq cousins. La princesse Adeline doit sommeiller dans une autre pièce. Je n'ai aucun autre élément concret pour visualiser les paysages et les habitations du Hautcentaure.

– Je vous le jure, dis-je en me levant debout la main levée en l'air comme pour une assermentation, nous ne connaissons pas ce pays.

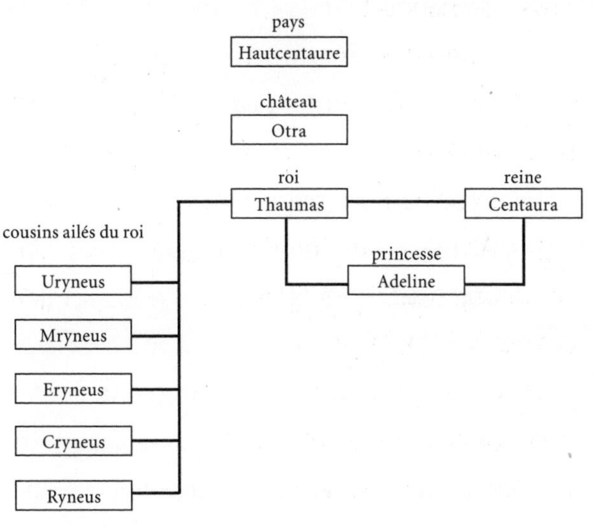

Je tremble comme une feuille. L'intimidant roi me toise en respirant fort.

– Alors, expliquez-moi pourquoi nous sommes dans cette situation !

– Parce… que… je ne connais pas l'autre situation, dis-je en transpirant de plus en plus.

J'ai l'impression qu'il fait chaud, très chaud.

– Balivernes, crie-t-il en se dressant.

Un cheval est déjà un animal imposant, alors imaginez le torse d'un humain sur le corps d'un cheval. Je crie et me colle près de ma sœur. Surpris, il crie. Mes copains crient et, à la fin, nous crions tous de frayeur. Des pleurs d'enfant nous parviennent d'une pièce plus loin.

– Vous avez réveillé Adeline, nous accuse le roi.

La reine galope en direction d'une porte. J'imagine qu'elle court vers celle de sa fille. Je suis sûre que si je montre un peu de compassion envers la princesse, ils démontreront moins de froideur envers nous.

– Pouvons-nous la voir ? dis-je tout doucement en fermant à demi les yeux et en croisant l'index et le majeur de ma main droite derrière mon dos.

J'étais sûre qu'il allait me crier après. Ouf ! Il se radoucit et me fait signe de le suivre.

– Est-ce que mes amis peuvent venir ?

Il nous dévisage et perçoit que nous ne voulons aucun mal à la princesse. Il accepte.

Nous entrons dans une petite pièce où se trouve un lit comme toutes les petites princesses du monde auraient voulu avoir, un lit rose recouvert de longues mousselines roses. Des gerbes de roses ornent les quatre coins de la pièce. Alors que nous nous approchons, Centaura s'éloigne pour qu'on puisse admirer la jolie princesse Adeline au teint blanc et à la longue chevelure blond platine. Elle respire difficilement et entrouvre légèrement ses beaux grands yeux bleus de biche. Elle est très mignonne malgré les cernes sous les yeux.

– Oh ! chuchote Samara. Comme elle est jolie !

– Merci, répond la reine en étouffant une larme.

– Mais qu'est-ce qui est arrivé ? murmure Maxime, inquiet.

– Une infection ou une vilaine grippe, répond-elle.

– N'y a-t-il rien à faire ? demande à son tour Simon.

Le roi derrière lui gronde. La reine lui fait un signe de se taire.

– Allons, retournons à la salle d'audience, marmonne-t-il entre les dents.

Malgré le fait que les centaures soient des êtres à donner la chair de poule, ils ne semblent pas violents. Mais comment en être sûrs ? Alors, nous ne protestons pas et nous retournons à la salle d'audience bien sagement.

Chapitre 18

LE HAUTCENTAURE

C'est là que nous apprenons ce qu'était le pays de Hautcentaure avant notre arrivée. C'était un royaume magnifique aux forêts majestueuses, le pays des licornes, des pégases et des centaures. Des hybrides comme les cinq cousins du roi Thaumas et d'autres y demeurent. Malheureusement, aucun d'eux ne peut accéder à la couronne. Une pureté de la race est exigée pour accéder à la royauté. Le Hautcentaure était divisé en trois royaumes et trois rois dirigeaient ces royaumes. D'autres peuples y vivaient en permanence, toutefois, et des esprits malveillants et malvenus appelés sorciers et démons sont apparus et ont disparu tout aussi inexplicablement que mystérieusement à certaines périodes de l'histoire.

– Toutefois, c'est bien la première fois que nous rencontrons des sorciers si jeunes.

– Quoi ? dis-je, étonnée. Nous sommes des sorciers ?

Nous apprenons que les humains sont d'après eux des sorciers qui ne sont plus supposés exister.

– Bien sûr. Comment expliquer votre venue si soudaine ? Comment expliquer ce grand dérangement ? Notre château est maintenant au milieu de nulle part et, ma foi, drôlement transformé. Ceci est une situation improbable et impossible dont seuls des sorciers ou des sorcières peuvent être à l'origine.

– Il faudra réparer votre énorme bévue, dit Uryneus en fronçant ses sourcils très noirs et très fournis.

– Bien sûr, je réponds. Mais je crois qu'il faudrait qu'on retourne dans notre monde pour pouvoir tout arranger.

Je vois les yeux de ma sœur et de mes copains s'ouvrir bien grands. Ils ont tous aussi hâte que moi de quitter ces lieux.

– C'est ce que je disais, vous êtes des sorciers et vous avez traversé le voile intemporel. Je crains que vous jetiez un sort avant de quitter les lieux et que vous nous réserviez tout un saccage avant de disparaître. Cette fois-ci, nous vous tenons et il n'est pas question que vous disparaissiez. Vous êtes nos prisonniers. Mes cousins, saisissez-les et mettez-les au cachot.

– Mais mon frère, dit Mryneus à la longue chevelure châtaine, il n'y a plus de cachot.

– C'est bien trop vrai. Alors, enfermez-les… dans le placard à balais de la cuisine, suggère-t-il.

– Excellente idée, mon cousin, ricane Uryneus.

Les frères rient grassement, puis ils nous piquent avec le bout de leurs arcs et nous dirigent vers un corridor. Nous entrons dans une grande pièce où les fourneaux marchent à plein régime. Une bonne odeur de soupe aux tomates nous chatouille les narines. Trois cuisinières centaures debout derrière un long comptoir chantonnent et hachent des légumes. Elles arrêtent leurs activités en nous voyant et nous jettent un regard à vous faire glacer le sang.

Mryneus ouvre un placard pas très invitant sentant la guenille mouillée et l'eau de javel. Nous n'avons pas trop le choix. Nous nous entassons dans cet espace petit et sans fenêtre. Nous sommes entourés de serpillières et de chiffons sales. Mais avant de fermer la porte, Centaura s'avance vers nous et lui fait signe qu'elle s'en occupe. Son beau-frère en profite pour se diriger vers le gros chaudron mijotant sur la cuisinière. Il renifle la soupe et y trempe un morceau de pain. Ses autres frères l'imitent.

Pendant qu'ils sont plus loin, j'ai l'impression qu'elle veut nous corriger. Nous sommes entassés dans ce placard sans aucune possibilité de nous échapper. Elle bloque à elle toute seule la sortie. Son bras s'approche vers moi. Je ferme les yeux. Je sens qu'elle va me frapper au visage et me dire de crever. Eh bien non ! Gentiment, elle se penche vers moi et glisse un minuscule sachet en soie rose dans ma paume.

– À l'intérieur, il y a une graine. Semez cette graine et revenez avec le fruit de cet arbre dès que possible, me chuchote-t-elle. Je sais que vous pouvez retourner chez vous. Faites-le !

J'en demeure estomaquée. Mais avant que je lui dise quoi que ce soit, elle se redresse et ferme la porte avec force en criant :

– Sales petits sorciers !

J'entends une clé tourner dans la serrure. Nous sommes enfermés dans ce placard. Au bout de quelques minutes, les cuisinières reprennent leur chant.

– Qu'est-ce qu'on fait ? pleurniche ma sœur. Cette situation est intenable.

– La situation ! je répète. Le roi a dit une situation improbable et impossible. Écoutez, je vais mettre ce sachet dans une poche de ma salopette.

Je le glisse dans la poche avant du haut de mon vêtement.

– J'ai cru comprendre premièrement que nous avons le moyen de retourner chez nous, deuxièmement que la reine me fait confiance en me donnant une graine que nous devons planter, et troisièmement…

Et c'est là que je sors ma roche d'une poche latérale.

– Je crois que cette roche terrestre nous permettra de sortir de cette impasse.

– Oh ! renifle ma sœur. T'as vraiment pensé à un lien terrestre avant de partir.

– Pour l'instant, je ne sais pas si ça va marcher, alors faisons un cercle du mieux que nous pouvons et accrochez-vous à cette pierre.

Sans trop de difficulté, nous formons un cercle solide dans le placard à balais, chacun se tenant par la main. Moi, je tiens la pierre dans une main et celle de ma sœur dans l'autre, et elle tient celle de Maxime. Simon prend l'autre main de Maxime et il met sa main droite sur la pierre. La boucle est complétée.

– Que l'on s'éloigne de cette situation improbable et impossible pour retourner dans notre monde réel, auprès de nos familles, soit au 866, rue des Ormes, dans la véranda de mes parents, dis-je.

Rien ne se passe et je commence à transpirer dans le petit local humide et puant. Je réitère ma demande et il ne se produit toujours rien. C'est alors que Maxime, si tranquille, lâche la main de Simon et de Samara pour apposer ses deux mains sur la mienne et sur la pierre. Il prononce un genre d'incantation faisant appel aux éléments :

Feu rayonnant et chaud
Terre solide et nourricière
Air pur et vivifiant
Eau purificatrice et source de vie
Conduis-nous à notre lieu originel,
notre nid familial.

Je suis sur le point de rigoler de son poème lorsque la pierre commence à crépiter et à rougir. Un arc de feu nous entoure. Simon prend ma taille et Samara, celle de Maxime. Nous nous élevons et le plafond se rapproche de nous. Je veux lâcher la pierre, mais Maxime presse ses mains contre la pierre et ma main.

Comme par magie, nous traversons le plafond et nous éloignons du château. Un long espace blanc défile sous nos yeux et nous atterrissons les quatre fers en l'air sur la carte, qui est restée au même endroit sur le plancher de céramique. Nous hurlons de douleur. Ça ne fait que cinq secondes que nous sommes là quand j'entends le grincement d'ouverture de la porte-moustiquaire du solarium.

– Vous voilà ! beugle mon père dans l'ouverture de la porte, la figure dégoulinante d'eau de pluie. Tout le monde est à votre recherche depuis une heure.

Nous nous relevons en nous frictionnant le dos. Dehors, il pleut des cordes. Comme nos vêtements ne sont pas du tout mouillés, je lui explique :

– Mais p'pa, nous étions ici durant tout ce temps.

Il nous regarde comme si nous étions des extra-terrestres.

– Mais… je suis passé de nombreuses fois devant et j'ai même regardé à l'intérieur.

– Tu ne nous as sûrement pas vus, nous étions penchés pendant que nous dessinions, dit Samara en lui montrant la piètre carte.

Il plisse les yeux et marmonne dans tout l'univers de gros mots injurieux, des mots qu'on n'a pas le droit de répéter. Il ressort dehors et crie :

– Mélanie, tu ne vas pas me croire. Je les ai trouvés, vocifère-t-il d'un ton anéanti. Ils sont tous ici !

– Fiou, murmure Simon. Il a failli ne pas nous croire. T'as eu la bonne réplique à temps, Sam !

Samara rougit. Eh, ma sœur a-t-elle le béguin pour ce grand énergumène ? Je n'en crois pas mes yeux.

– Faut y aller ! dit Maxime. On se revoit demain ?

– Pourquoi ? je réponds.

– Eh bien, t'as pas quelque chose à semer ? demande-t-il en pointant le haut de ma salopette.

– Oh ! C'est vrai ! À demain, alors. Mais avant de partir, merci Maxime !

– Merci pour quoi ?

– Ben, disons-nous à l'unisson, ma sœur et moi.

– Quoi ?

– Sans toi, nous ne serions pas ici, je dis. Tu nous as vraiment sortis du trou.

Il hausse les épaules et court chez lui sous la pluie, Maxime le discret. J'aurais pu lui dire qu'il nous avait sauvés deux fois, la première fois lors du foudroiement.

Chapitre 19

LA PLANTATION

Il doit être minuit et je ne dors pas. Je tire sur la chaînette de ma lampe de chevet. Naturellement, elle n'allume pas.

– Sam, dors-tu ?

– Non.

– J'ai encore de la difficulté à croire ce qui est arrivé aujourd'hui.

– Moi aussi. J'ai l'impression que c'était un rêve.

Je me penche pour ramasser ma salopette et je glisse ma main dans la poche du haut. Bien que minuscule, à peine plus grosse qu'une graine de radis, je la sens dans le petit sachet de soie.

– Et pourtant, j'ai dans ma main la graine que la reine m'a donnée. Sam, nous n'avons pas rêvé.

– Ça m'en a tout l'air. On n'a pas trop le choix. Demain, nous la planterons.

– Où ça ?

– Au pic du Corbeau, je crois que c'est l'endroit idéal. Les lieux sont bien dégagés.

Jour 6

Au réveil, nos parents nous regardent d'un air dubitatif. Délicatement, nous beurrons nos craquelins de beurre d'arachide. Je sens que mon père est particulièrement agressif.

– Où étiez-vous ? nous demande-t-il.

– Nous étions dans la véranda, je lui réponds.

– Il faisait si chaud et si humide que nous nous sommes endormies, invente Samara.

– Endormies ! répète mon père. Les deux gars aussi ?

– Ben oui, p'pa !

– Ç'a du sens, approuve ma mère. Ils se sont endormis et c'est pour cette raison qu'en passant devant la véranda, tu ne les as pas vus. Pourtant, il y a eu de la pluie et des éclairs comme ça ne se peut pas. Nous avons craint pour vous. C'est surprenant que tous ces coups de tonnerre ne vous aient pas réveillés.

– Mais, Mel, je te dis que j'y suis entré et je ne les ai pas vus.

– Peut-être que tu n'as pas bien regardé.

– Mais si !

– De toute façon, elles sont devant nous et en parfaite santé. Quoi demander de mieux ? Il fait beau, alors… dites-moi ce que vous pensez faire aujourd'hui ?

– Bien, jouer près de la maison et peut-être préparer une pièce avec mes amis près de notre scène de théâtre, dis-je en sachant pertinemment que les gars ont détruit notre supposé décor.

– Justement, il semble que des éclairs soient tombés sur le pic. Désolé, les filles, je suis passé ce matin. Le château est complètement détruit.

– Ah ! faisons-nous en chœur comme si nous apprenions cette nouvelle triste.

– Voulez-vous que je le reconstruise ?

– Ce ne sera pas nécessaire, dit Samara. Nous allons faire une pièce plus simple.

– Je vous défends d'y aller toutes seules, annonce ma mère d'une voix forte et autoritaire en se levant et en s'emparant de la vaisselle sale.

– Mais m'an ! Maxime et Simon nous accompagneront.

– Tiens, donc ! Depuis quand êtes-vous en si grande harmonie avec eux, les filles ? Normalement, vous nous auriez dit Charline, Gabrielle et Marie-Pier.

– Parce que…

Je suis bloquée. Rien ne me vient à l'esprit.

– Parce que Simon est drôle, renifle ma sœur en riant.

Je lui grimace. Ma mère ne paraît pas satisfaite de la réponse et mon père nous lance :

– Hier, compte tenu de la frousse que nous avons eue, désormais vous ne pouvez plus quitter la maison sans la présence d'un adulte.

– Hein ? s'exclame Samara. Mais maman, c'est ridicule et bébé. Nous sommes des adultes. Nous avons presque 11 ans.

Je crois qu'elle pensait que notre mère acquiescerait. C'était mal la juger. Au contraire, elle était d'accord avec notre père.

– Désolée, les filles. Votre père a raison.

En sortant, nous remarquons que les parents suivent Simon de près. Il semble que cette consigne lui ait été donnée également. Hier, tout le quartier a dû paniquer. J'imagine une battue organisée pour nous chercher intensément lors de l'orage épouvantable d'hier. Nous avons été foudroyés une fois, et les chances que ça se produise une deuxième fois, bien que minimes, sont réelles.

– Puis-je aller parler à Simon ? je demande.

Mon père fait signe que oui après avoir noté la présence de Françoise. Je le rejoins par le trou de la haie.

– Salut Simon !

– Salut Saléna !

– Pis ?

– Pis, c'est ça ! Je suis sous haute surveillance.

– Toi aussi ?

– Pas le droit d'aller où je veux sans la permission d'un de mes parents.

Et voilà, j'avais bien déduit.

– Il faudrait bien planter la graine que la reine m'a donnée, je lui dis.

– Ah oui ! La graine. Et où comptais-tu la planter ?

– Je ne sais pas pourquoi, mais je sens que je devrais la planter loin des maisons, dans un endroit à l'écart.

– Comme au pic du Corbeau !

– Oui ! je m'étonne. Comment as-tu fait pour le deviner ?

– J'ai eu une sorte de songe, hier.

– Un songe ? dis-je de plus en plus abasourdie.

Simon aurait-il une certaine sensibilité ? J'en suis toute chamboulée. Pour une fois, je suis d'accord avec ma sœur. Il n'est pas si mal avec ses yeux d'un bleu lumineux et ses cheveux noir de jais.

– Ouais, ça avait un rapport avec le fait que le roi Thaumas nous a tous mis dans le même panier.

– Quel panier ?

– Le panier des sorciers.

– Ouais, moi aussi, ça m'a frappée.

– Nous pourrons peut-être tous y aller après notre repas du midi. Je crois que pour cet avant-midi, nous ferions mieux de filer doux.

– D'accord ! Disons vers 13 h 15.

– D'ac !

C'est un peu après 13 h 30 que Samara, Simon, Maxime et moi arpentons les lieux. Mon père est assis au pied d'un arbre en train de lire un roman que ma mère lui a prêté.

Lui qui ne lit jamais, il n'a plus trop le choix depuis qu'il n'y a plus d'électricité. À quand le retour du courant ? Seul Dieu le sait, et le diable s'en doute.

En parlant de diable, la diablesse Charline arrive accompagnée de nos deux copines Gabrielle et Marie-Pier. Elles ne semblent pas très enchantées que nous soyons en compagnie de deux gars. Charline nous colle à la peau des fesses alors que nous voulons semer cette plante en toute tranquillité.

– Mais qu'est-ce qui se passe ? nous demande Gabrielle. Vous êtes maintenant alliés avec ces deux mufles hideux alors que nous leur avons déclaré la guerre !

– J'en sais quelque chose. Depuis hier, lors de l'orage, nous nous sommes réfugiées à l'intérieur de la véranda et ces deux mufles hideux nous ont suivies. Depuis ce temps, ils nous suivent, dis-je en espérant que cette excuse bidon va la calmer.

Simon et Maxime jouent la comédie en prenant un air vraiment insulté.

– Et surtout, j'ajoute, ne dites pas à mon père ce qui est arrivé au château. Il croit dur comme fer que c'est l'orage qui l'a détruit.

Charline grimace. Je crains qu'elle raconte la vérité pour le château. Pour l'instant, Simon et Maxime nous font signe et nous indiquent un endroit. Pelle à la main et chaudière de l'autre, ils sont prêts à creuser. Ma sœur et moi approchons de l'endroit. L'endroit est à quelques mètres de la rive, sur une butte de terre bien ensoleillée. J'approuve et les gars creusent pendant que ma sœur va chercher de l'eau et moi, du beau sable fin. Les filles, voyant qu'on ne s'occupe pas d'elles, sont parties en rouspétant et en nous jetant un mauvais œil. Sam et moi en sommes peinées, mais qu'est-ce qu'on peut y faire ?

— Je crois que c'est assez creux, dit Simon. Après tout, c'est une petite graine.

Je désherbe tout autour et je m'assure que le sol est bien meuble et sans racines. Samara place des roches tout autour du trou. J'allège le sol en le mélangeant avec du sable et je l'amène à l'égalité avec le rebord des roches. J'imite ma mère lorsqu'elle fait ses plates-bandes.

Satisfaite de ma première plate-bande à vie, je mets la graine en plein centre. Samara arrose tout doucement. Tous les quatre, nous fixons des yeux le sol qui boit avidement l'eau. Nous avons l'impression qu'une brise chaude est venue souffler juste au-dessus et que la terre a tressailli et craquelé en signe de remerciement.

Chapitre 20

UN DRÔLE DE POMMIER

Jour 7

Sept jours auparavant, l'Événement est arrivé et pourtant, nous avons l'impression que ça fait une éternité que nous sommes dans cette situation. Nous sommes particulièrement écœurées de boire de l'eau en bouteille à la température pièce et de ne manger que des croustilles ou des boîtes de conserve réchauffées sur le barbecue. Nous manquons cruellement de fruits et de légumes frais autres que la laitue, les tomates, les oignons et les piments jalapeño du jardin de ma mère. Pour une fois, je m'ennuie d'une vraie soupe minestrone maison. Je ne croyais jamais en arriver là.

Un certain système de troc s'est établi dans le quartier. Vers 10 h, mon père installe une table devant la maison avec les récoltes du jardin. Fort heureusement, nous avons des framboises, que nous ne partageons pas avec nos voisins, pour encore quelques jours. Par contre, nous sommes prêts à troquer notre laitue et des tomates pour d'autres choses. Les trois plants de piments jalapeños produisent une quantité phénoménale de piments que seule ma famille semble apprécier dans le voisinage. Mon père ne réussit pas à les échanger contre d'autres végétaux.

D'après ma mère, qui se promène de table en table, nos voisins ont tous les mêmes choses que nous. Le menu est maintenant trois fois par jour la même chose : craquelins, boîtes de conserve, tomates, laitue, salsa et vinaigrette aux jalapeños écrasés. Beurk !

Mon père semble moins nerveux, ces jours-ci. Il a cessé de parler d'argent. Ça soulage nos oreilles. Après tout, tout le monde est dans le même pétrin. Pas d'électricité, pas de travail. Qui dit pas de travail dit pas de sources de revenus.

Certaines gens patrouillent dans les autres quartiers et nous savons qu'il n'y a rien à espérer. Il faut attendre. Attendre quoi au juste ? Attendre que l'électricité revienne. Mais mon petit doigt me dit que même si l'électricité revient, la vie ne sera plus pareille. Ou du moins pas pour un certain temps.

Samara s'est installée sur la table à pique-nique avec une tonne de bouquins historiques, de cartes et de livres sur l'art de dessiner. Elle est même allée chercher, sur le bureau de notre père, le gros globe terrestre. Elle l'a installé à deux centimètres de ses yeux. Elle essaie de dessiner de meilleures cartes, ou du moins d'imaginer le pays Hautcentaure décrit par le roi. Je ne l'ai jamais vue si sérieuse.

Après que mes parents ont complètement rassuré ceux de Simon et Maxime en leur disant qu'une surveillance à plein temps de leur progéniture n'était pas nécessaire, nos copains sont venus nous rejoindre. Ensemble, nous faisons un petit remue-méninge pour élaborer un pays merveilleux. Moi, je note dans un calepin tout ce qui nous passe par la tête.

– Ouain, dit Maxime. Au pays des centaures, ils doivent avoir de grandes étendues d'herbe pour brouter.

– Voyons, Max, je lui dis. Ce ne sont pas des chevaux, ce sont des humains avec un corps de cheval. J'imagine qu'ils mangent comme nous.

– Ouais, mais pour les autres royaumes, comme ceux des pégases et des licornes ?

– D'accord pour eux ! je conclus.

– Tiens, dit Simon, vos copines. Elles nous regardent bizarrement.

D'un pas uniforme, elles quittent le trottoir et marchent vers nous. Elles ont encore une expression faciale indiquant qu'elles n'ont pas envie de rigoler. Elles s'arrêtent et entourent ma sœur.

– Tu dessines des cartes en plein été ? lance Gabrielle d'un ton hargneux.

– Durant les vacances, renchérit Marie-Pier en mettant un doigt sur le globe terrestre et en exerçant une petite poussée pour qu'il tourne.

– C'est un travail d'école, ça ! s'étonne Charline. Mais c'est dément, ça !

– Ben quoi ? Ce n'est pas défendu d'entreprendre des choses intelligentes, même en plein été, de répondre ma sœur.

– Vous ne voulez plus jouer ? demande Charline.

– Jouer à quoi ? je demande.

– Ben, fait Gabrielle en arrondissant les yeux et en pointant du menton les deux gars, à la guerre, ç't'affaire.

– Oh ! Ça, répond Samara. Ça ne m'intéresse plus.

– Quoi ? dit Charline. Et notre club ?

– Vous aviez fait un club, les filles ? demande Simon.

– Ouais, mais ça, c'est une vieille histoire, je réponds.

– Une vieille histoire ? hurle Gabrielle. Ça remonte à seulement huit jours ! Nous avons fait un pacte. Vous vous en souvenez ?

Simon et Maxime rient de la voir si choquée et si écarlate. Je dois dire que leur rire est communicatif. Ma sœur et moi rions et nos trois copines virent rouge framboise. Avant de quitter les lieux, leurs yeux nous crachent des éclairs et elles ne semblent pas prêtes de nous pardonner de nous être liées d'amitié avec l'ennemi.

– Vous allez voir, lance Gabrielle. Vous ne vous en tirerez pas comme ça. Vous allez entendre parler de nous.

– Ouais, rajoute Marie-Pier, la guerre est déclarée.

Nous rions de plus belle. L'improbable était arrivé. J'ai ridiculisé mes meilleures amies devant deux garçons qui étaient, il n'y a pas si longtemps, nos ennemis. En quelques minutes, elles sont passées d'amies à de véritables ennemies.

– Eh bien, le club Salsa et compagnie n'aura pas existé très longtemps, dit Samara en s'appliquant à copier sur sa feuille blanche une partie du globe terrestre.

– Le club Salsa, dit le beau Maxime, c'est un joli nom. C'est dommage que ce soit la fin de ce club.

– Ouain, je réponds.

– Pourquoi ne serions-nous pas le nouveau club Salsa ? demande Simon.

Je le regarde et bien que je l'apprécie plus qu'auparavant, je ne suis pas sûre que ce soit une bonne idée, tandis que Samara a les yeux dans la graisse de bines.

– Eille, je lui dis. Samara, tu ne souviens donc pas de la raison de la fondation de notre club ?

– Bien sûr, mais les choses ont beaucoup évolué, dit-elle d'une voix un peu trop pétillante à mon goût. Nous avons un secret que nous ne pouvons révéler ni à elles, ni même à nos parents. Nous avons vécu une expérience vraiment extraordinaire.

– C'est vrai ! Mais il faudrait d'abord défaire l'ancien club pour refaire le nouveau. Pour l'instant, JE NE VOIS AUCUNE URGENCE, dis-je en haussant la voix.

– Hé, les filles, dit Maxime, et si nous allions voir ce que nous avons planté ?

– Peuh ! Je ne pense pas qu'il y ait grand-chose à voir, dit Samara. Sans parler du fait que nous devons être accompagnés par un adulte.

– Ouais… dit Maxime. C'est embêtant. Surtout que ça nous prend 30 minutes pour y aller et 30 minutes pour en revenir.

Mon père passe près de nous.

– On dirait que vous vous ennuyez, dit mon père.

– Ben, c'est parce qu'on aimerait aller au pic du Corbeau, dit Simon, pas très convaincu de la réception de sa demande.

– Ben oui, répond mon père en regardant sa montre. J'ai justement envie de faire une promenade avant le dîner. Ououh, crie-t-il pour attirer l'attention de ma mère. Je vais faire une marche avec les enfants, au pic du Corbeau.

Nous levons tous les yeux vers le ciel. J'ai l'impression d'avoir quatre ans.

– D'accord ! crie ma mère, assise plus loin en train de raccommoder une paire de jeans déchirée.

Nous nous mettons en route et lorsque le pic se dévoile, nous clignons des yeux de nombreuses fois. Même mon père en est pétrifié.

– Mais qu'est-ce que c'est ? réussit-il à prononcer.

Nous nous approchons d'un sapin rose. Son pied se situe au milieu de la plate-bande en pierre. Il est exactement à l'endroit où nous avons planté la minuscule graine. L'arbre mesure déjà 1 mètre 20.

Nous nous en approchons. En plus d'être rose, il comporte une trentaine de fleurs blanches semblables aux fleurs d'un pommier.

– Wow ! dit mon père. Il est magnifique. Mais comment se fait-il qu'il ait poussé si vite ? On doit prévenir monsieur le maire. Il faut absolument que… la presse scientifique s'intéresse à cet arbre.

– Mais papa, lui dis-je, nous sommes à Saint-Parlinpin, sans électricité, sans automobile qui fonctionne et sans Internet. Qui peut bien venir ici ?

– C'est vrai ! Mais en attendant, restez là, je vais aller chercher les autres et mon appareil photo. Ne bougez surtout pas !

Il court comme un fou pendant que nous sommes émerveillés par la beauté de l'arbre.

– Tu vois, dis-je, au pays des centaures, la vie doit être merveilleuse, d'une beauté à couper le souffle. C'est inimaginable ! Ce sont eux, les sorciers, pas nous !

Je tends la main vers une fleur pour la respirer. L'odeur est si intense et si sucrée que je ferme les yeux et que j'imagine un fruit. Pourquoi pas une pomme d'or ? Je sens tout à coup un objet lourd dans ma main. J'ouvre les yeux et j'y trouve… une pomme d'or.

– Mais… comment t'as fait ? demande Simon.

– J'ai juste reniflé la fleur, dis-je, éblouie.

Les autres essaient et rien ne se passe. Je crois que c'est grâce à ma visualisation de la pomme que j'ai acquis cette pomme d'or.

– Vite, cache-la, dit ma sœur. Papa est de retour avec son groupe de curieux.

Je la glisse dans une des poches latérales de ma jupe. Tout le monde est étonné de voir un sapin rose à cet endroit. Certains curieux veulent le toucher. Monsieur Latour, celui qui demeure en biais de l'autre côté de la rue, un autre amateur de pelouse bien verte et bien rasée, casse une branche de l'arbre pour l'analyser de plus près. Soudainement, l'arbre se met à émettre un sifflement comme un ballon qui se dégonfle. Le joli sapin rose se dessèche et meurt. Les aiguilles virent au brun et tombent au sol. Il ne reste qu'un tronc dégarni, sec et sans vie.

– Je n'ai même pas eu le temps de prendre une photo, dit mon père, abasourdi.

Ma sœur et moi nous mettons à pleurer et à crier :

– Vous avez tué notre arbre !

Nous arrivons en larmes à la maison et nous sommes inconsolables. Notre mère nous tend des canettes de jus de tomates et des craquelins multigrains. Nous n'avons pas faim et nous montons dans notre chambre en pleurant. Je n'ai qu'une image en tête : la figure de ce sauvage, notre voisin d'en face, qui a cassé une branche de ce magnifique arbre et, par le fait même, qui l'a tué.

Chapitre 21

LES INDISPENSABLES

Il fait déjà nuit quand je constate que nous nous sommes endormies d'épuisement à force de pleurer chacune comme une madeleine. Quelque chose me dérange et je tâte ma jupe pour me rendre compte que je me suis couchée sur un objet dur : la pomme d'or. Je la sors et, sous le rayon de la lune, cette pomme est si mystérieuse que je réveille ma sœur.

– Wow ! murmure Samara. Je n'ai jamais rien vu de si beau.

Elle a des reflets mordorés, rougeâtres et bleutés.

– Encore heureux qu'elle n'ait pas disparu comme l'arbre, ajoute-t-elle.

– Si ma déduction est bonne, c'est probablement ce que la reine espérait en me donnant la graine.

– Tu veux dire qu'elle espérait ce fruit ? s'étonne Samara.

– Je crois bien que oui. Nous devons retourner la voir et donner ce fruit à Adeline.

– Pas trop sûre de vouloir m'y rendre. Les cousins du roi ne sont pas trop sympas. Peut-être qu'ils nous tueront après avoir reçu le fruit.

– Pas si nous leur montrons que nous sommes indispensables.

– Mais comment pouvons-nous faire ça ?

– Imagine des lieux avec des fruits d'une grande beauté, des arbres aux feuillages multicolores, de jolis papillons et de belles salamandres dans un petit étang coquet rempli de nénuphars géants.

Samara rit et ajoute :

– T'as bien raison. Pour l'instant, je ne peux rien faire. Il fait trop noir. Demain, je vais m'atteler à cette tâche même si je crains que ce soit assez difficile.

– Pourquoi ?

– Je ne me trouve pas douée.

– Ben non, t'es douée ! Et c'est en dessinant qu'on s'améliore.

C'est ce que ma mère lui aurait dit. S'il y a une chose que j'aime de ma mère, c'est qu'elle nous encourage même si nous ne sommes pas bonnes. Comme moi, avec mon micro, j'ai tendance à parler trop vite. Elle me le dit, mais pas méchamment, jamais pour briser mon rêve, celui d'être l'animatrice la plus *cooooool* en ville ou sur la planète. Sur ces belles pensées, je m'endors.

– Salut les filles ! crie Simon, qui passe par le trou de la haie.

Maxime est juste derrière lui et il nous salue de la tête. Tous les deux s'installent derrière Samara et la regardent dessiner diverses propositions sur des feuilles de 27,9 cm sur 21,6 cm qu'elle superpose à sa carte originale.

– *Busy*, dit Simon.

– Pas mal. C'est dommage que monsieur Latour ait tué notre arbre, que je dis.

– T'as encore la pomme ? murmure Maxime.

– Oui et elle est à l'abri de mon chat et des humains. Ce matin, je l'ai mise dans une boîte à souliers entourée de papier de soie. Je pense qu'il faudra faire vite parce que c'est possible que la pomme disparaisse comme le sapin.

– Quand pensez-vous qu'on pourra faire une autre excursion ?

– Demain au plus tard, je réponds. Mais le problème, c'est que nous ne pouvons pas nous installer dans la véranda. Nous avons réussi à berner notre père une première fois en lui faisant croire qu'il n'avait pas assez bien inspecté les lieux, mais je crains que la prochaine fois, il va passer au peigne fin l'endroit.

– Vous n'avez qu'à venir chez moi, dit Maxime. C'est ma grand-mère qui nous garde. Mes parents sont partis hier soir en vélo chez ma tante qui est sur le point d'accoucher, histoire de l'aider. Je crois qu'ils y seront pour quelques jours. Alors, c'est mémé qui s'occupe de moi et de ma petite sœur. Et comme elle n'aime pas trop le soleil, elle reste à l'intérieur avec Nadine.

Sur son terrain, les parents de Max ont fait construire, quelques années plus tôt, un grand pavillon pour prendre les repas à l'extérieur. Tout un gazebo original et super classe. Ce n'est pas le machin truc préfabriqué en aluminium vendu en magasin avec des moustiquaires et un toit en plastique noir qu'on monte en un jour. Non, c'est une très belle construction conçue par le frère de Patricia Deschamps, un architecte de Montréal. D'ailleurs, mon père y a travaillé et ma mère est jalouse de ne pas avoir une si belle terrasse fermée en bois travaillé et recouverte d'une belle toiture en tôle nervurée vert forêt.

– Super! dis-je, les yeux lumineux. On pourra dire à nos parents que nous allons passer l'après-midi chez toi. On s'installera dans votre maison de poupée.

– Tu veux dire le gazebo.

– Oui, c'est ça ! Il est parfait. On fermera les moustiquaires et les rideaux. Personne ne nous verra.

– C'est vrai, ça ! dit Samara. Personne ne viendra nous déranger.

– Il ne reste plus qu'à convaincre nos parents, dis-je tristement.

À voir le visage de mes parents, je comprends que notre projet d'aller chez les Deschamps est accueilli avec un certain scepticisme.

– Votre père va vous accompagner.

– Mais m'an ! On reste sur le terrain des Deschamps, c'est à deux maisons d'ici.

– On va d'abord en parler à ses parents, dit ma mère.

Il me semble tout à coup que le sol est mou et que je m'y enfonce. Ça ne va pas du tout. Échec et mat. Fin du combat. Victoire du camp parental. Je me sens comme un ballon qui se dégonfle et qui zigzague dans les airs avant d'atterrir au sol. Qu'est-ce que je peux dire pour l'empêcher d'aller chez les Deschamps ?

– Mais p'pa, on n'est pas des bébés, on va être juste à deux terrains de chez-nous.

Contre toute attente, mon père approuve en faisant un signe positif à ma mère. Flanchera-t-elle ? *Yes,* elle flanche ! Son visage se plisse en une moue désapprobatrice. Elle n'a pas crié un non autoritaire à mon père, ce qui veut dire qu'elle penche lentement vers le oui. Alors, nous essayons de ne démontrer aucun signe de joie. La victoire est à notre portée. Je la regarde avec mes yeux tristes, semblables aux yeux implorants du chat potté dans Shrek. Elle est à un doigt de dire oui. Encore une seconde dans cette pose de supplication.

– D'accord, les jumelles ! Je dois vous faire confiance.

Surtout, il ne faut pas trop démontrer notre joie. Elle n'a pas encore donné ses conditions, et ces dernières peuvent faire toute la différence.

– Oui, maman, répondons-nous d'une voix soumise.

Oui, je sais. Ça s'appelle de la manipulation. Quoi ? C'est ignoble, me dites-vous. Ben, ce n'est pas nous qui l'avons inventée, alors… autant s'en servir.

– Vous devez… (voilà, c'est parti, elle commence sa liste de conditions !) revenir avant 6 h pour le souper. Si jamais vous ne revenez pas à cette heure, nous allons vous chercher et vous ne pourrez plus jouer chez un voisin sans qu'on vous accompagne. Est-ce clair ?

– Oui, maman, répondons-nous à l'unisson.

Avant de partir, je vais chercher ma boîte à souliers et Samara empaquète tous ses effets de dessin dans un sac à dos. Elle plie soigneusement sa carte. Nous partons en promettant d'être de retour pour le souper. Juste avant de traverser la haie, je ramasse quatre jalapeños.

Chapitre 22

L'INITIATION

Nous nous installons dans le pavillon et nous fermons tous les rideaux, qui tamisent la lumière légèrement. Tous les quatre, nous nous sentons à l'abri des regards. Samara déplie sa carte, sort une pile d'esquisses et moi, je dépose les quatre piments.

– Qu'est-ce que c'est ? dit Maxime, qui n'est sûrement pas un amateur de nourriture mexicaine.

– Des piments, je réponds. Hier, nos copines nous ont rappelés que nous sommes liées à elles par un rite d'initiation. Pour faire partie du club Salsa, vous devez prendre une bouchée de ce piment et le mâchouiller une minute avant de l'avaler.

Bon, c'est sûr que j'ai simplifié le rituel. Je n'ai pas de salsa, même pas de fromage ou de lait pour diminuer l'effet des brûlures. Où aurais-je pu trouver du fromage de toute façon ? Personnellement, je ne les trouve pas si piquants que ça.

– Oh ! Rien que ça, dit Simon, qui ignorait le pouvoir de la capsaïcine de ces petits fruits verts. Allez ! Passe-moi ça ! Qu'on en finisse.

– Mais avant de procéder, dit Samara, vous devez savoir que notre mission était de déclarer la guerre aux gars de la rue des Ormes.

– Ben, dit Maxime, ça n'a pas de sens. Nous sommes des gars de la rue des Ormes. Il faut changer le règlement.

– Et qu'est-ce qu'on fait de nos copines ? J'ai comme qui dirait trahi leur confiance et…

– Moi aussi, dit Samara, je me sens comme si nous les avions roulées.

– D'accord ! dit Simon. J'ai une idée. Vous avez dit que vous n'aviez pris qu'une bouchée de ce jalapain...

– Jalapeño, dis-je pour le corriger.

– C'est ça, de ce jalapignon. Je suggère une nouvelle règle d'initiation. Vos copines pourront intégrer le club à cette seule condition.

– Euh ! Nous sommes tout ouïe, dis-je.

– Il faut le manger au complet et tous en même temps, et ce sans sourciller.

Ma sœur et moi nous regardons. Nous n'avons jamais consommé un jalapeño cru au complet. Nous acquiesçons. Ma jumelle a sûrement la même pensée que moi. Dès qu'ils mordront dans ce piment, ils vont crier au meurtre et sortir en courant pour boire une tonne d'eau. Alors, je ne m'en fais pas trop. Ça ne marchera pas et ainsi, nous n'aurons pas trahi les filles, notre honneur sera sauf et notre club ne comprendra que 5 filles.

– Alors ? demande-t-il.

– Moi, en tout cas, je n'ai aucun problème avec ça, sourit Maxime de ses belles dents où persiste encore une canine de lait.

– D'accord ! dis-je en prenant la première un piment.

Les autres me suivent. Tous les quatre, nous croquons notre piment en même temps et nous nous examinons avec attention. Bizarrement, je ne le trouve même pas fort. L'intérieur des joues chauffe, mais ne me brûle pas. Je mastique et j'avale ma première bouchée. Et pour la première fois de ma vie, je prends un autre morceau. Je sens un bienfait à l'intérieur de moi.

– Wow ! dit Maxime, qui a les yeux remplis d'eau. C'est délicieux ! Juste un peu piquant.

– J'adore, annonce Simon en mordant à nouveau le fruit. C'est super ! Je me demande bien pourquoi je n'ai jamais goûté à ça avant.

– J'en reviens pas, dit Samara. Je n'ai jamais autant adoré ces piments. J'en mangerais une cargaison.

– Pas moi, désapprouve Maxime. Un me suffit. Ça commence à me chauffer la gueule.

– Moi aussi, renchérit Simon en avalant la dernière bouchée.

Quelques perles de transpiration brillent sur son front.

– Je sens une chaleur en moi, ajoute Maxime.

– Moi aussi, relance Simon. C'est comme…

– Énergisant, je conclus.

– Ouais, s'enthousiasme Maxime. Je me sens comme un autre homme.

Nous rions et nous sommes dans un état euphorique. Nous nous sentons prêts à affronter tous les démons et tous les mauvais esprits de l'univers. Nous nous sentons invincibles, satisfaits et extraordinairement bien, forts et puissants.

– Passons aux choses sérieuses, dis-je.

Samara expose ses dessins et nous avons une discussion animée et fructueuse. Nous nous accordons sur le fait que le pays des centaures doit être coloré. Parmi ses croquis, nous conservons de la pile des dessins les arbres aux feuillages roses et aux fleurs bleus, les papillons argentés et les lézards mauves. Nous choisissons tout en nous basant sur ce que nous pensons être la réalité centaurienne.

Elle découpe les images et les colle à l'intérieur du rectangle. Satisfaits, nous décidons que l'heure est venue de plonger dans ce monde.

Je glisse, comme la dernière fois, une roche dans ma salopette et je tiens ma boîte à souliers. Nous nous regardons et prenons une grande inspiration. Samara saute la première, et Simon et Maxime la suivent. Je ferme la voie en bondissant la dernière.

Nous sommes heureux de contempler les arbres. Ils sont tels que Samara les a dessinés. C'est en chantant que nous gravissons la dune, mais le spectacle que nous voyons alors nous glace le sang. Le lézard mauve est très joli, mais il est énorme. Par bonheur, le château est plus haut que l'animal et est toujours situé sur un socle.

Ses deux pattes avant sont plaquées sur la structure et sa longue langue passe au-dessus du promontoire. Trois papillons surdimensionnés survolent les lieux et captent l'intérêt du reptile. Il sautille vers eux et en dévore un. La poursuite se continue et il se dirige vers l'endroit où nous trouvons. Par miracle, les deux papillons modifient leur plan de vol et se dirigent à l'extrémité ouest. De grosses griffes traversent le ciel et s'emparent du lézard, qui hurle de douleur. L'animal disparaît dans l'immensité blanche. Les cris résonnent longtemps dans l'espace. Il n'est plus là.

– Qu'est-ce que c'était ? dis-je, effrayée.

– On aurait dit d'énormes griffes qui déchiraient le ciel blanc. Est-ce possible ? demande Simon.

En les examinant de plus près, les longues lacérations noires dans le ciel font penser à des déchirures laissant entrevoir un endroit sombre, probablement le fond du gazebo.

– Ah non, c'est ma grosse chatte Clio ! C'est sa place préférée pour dormir lorsque le soleil plombe, dit Maxime. Elle se faufile par un des moustiquaires.

Les grosses griffes apparaissent encore et cette fois-ci, elles tentent de s'emparer de l'un des papillons. Ce dernier virevolte dans les airs et évite de justesse les griffes. Il s'enfuit au loin.

– Elle doit s'amuser à décoller les illustrations, je déduis. Il faut vite rentrer avant qu'elle s'en prenne à tout le dessin et qu'elle nous écorche.

– Mais tu dois leur apporter la pomme, dit ma sœur.

Nous nous approchons du château. Le lézard est revenu, je ne sais comment. Même si son corps est lacéré, il est vivant et alerte. Il cherche à attraper un des centaures ailés. Ceux-ci arment leur arc et tirent. Quelques flèches aboutissent sur sa langue et le lézard hurle de douleur.

Soudainement, les griffes réapparaissent dans le ciel et menacent de s'attaquer au palais déjà en piteux état. Je ne vois qu'une solution : rentrer chez nous au plus vite et empêcher le chat de jouer avec notre dessin.

– Vite, il faut partir ! Nous n'avons pas le choix, je crie. Maxime, peux-tu nous ramener chez nous ?

Il fait signe que oui de la tête. Je sors la roche de ma poche et j'attrape le bras de ma sœur qui fait de même. En quelques secondes, nous avons complété la chaîne et je ferme les yeux. Maxime prend une grande respiration et récite son poème.

Feu rayonnant et chaud
Terre solide et nourricière
Air pur et vivifiant
Eau purificatrice et source de vie
Conduis-nous à notre lieu originel,
notre nid familial.

La pierre rougit comme la dernière fois et nous nous envolons. Puis, j'entends un long miaulement de surprise. Clio est sur ma tête. Elle s'élance au sol. Maxime rit derrière moi. Pendant une bonne dizaine de minutes, nous rions et pleurons en même temps.

Apaisée, je regarde la carte. C'est bien Clio qui a décollé les papiers avec ses griffes. Nous sommes déçus. Notre mission est un échec. L'âme en peine, je retourne chez moi suivie de ma sœur, qui tient sa carte déchirée. Une fois chez nous, elle la dépose sur la table de pique-nique et je mets la pierre sur la carte pour qu'elle ne s'envole pas. Nous rentrons dans la maison pour nous prendre chacune une bouteille d'eau.

– Qu'est-ce qu'on fait ? demande ma sœur.

– Il faut réparer la carte, lui dis-je. Mais avant, je vais mettre ce colis en sécurité.

Je monte le déposer dans notre chambre. J'ouvre le dernier tiroir de ma commode et le cache sous une pile de t-shirts. Puis, je rejoins ma sœur et nous sortons. Dès que je lorgne la table de pique-nique, mon cœur se serre et j'ai du mal à respirer. Elle n'est plus là. Elle n'est plus sur la table. Il ne reste que la pierre. Je la soulève, incrédule ; je ne vois la carte nulle part, pas même un petit morceau.

– Où est ma carte ? crie Samara en pleurant.

– Quelle carte ? demande mon père, qui se trouve non loin de là. Est-ce que c'était un vieux papier déchiqueté sur la table de pique-nique ?

– Oui, une grande feuille blanche avec des collages.

– Eh bien, je l'ai pris pour partir mon barbecue.

Mon père a allumé son barbecue avec notre carte ! Nous hurlons. Il nous regarde comme si nous étions deux folles.

– Ben quoi, elle était assez amochée, votre carte, dit mon père. Désolé, les filles, je n'ai pas cru utile de la conserver !

Il a l'air si sincère. Nous reniflons et nous nous rapprochons des flammes. Impossible de la récupérer. Des petits morceaux carbonisés s'élèvent dans le ciel et le château est en train de passer au feu. Nos visages grimacent et j'ai le goût de pleurer. Notre père nous regarde d'une drôle de façon.

– Mais quoi, ce n'était qu'un dessin, non ? Il n'y a pas de quoi en faire un drame !

Chapitre 23

PAR LA VOIE DES AIRS

Jour 8, 8 h 38

Assises à la table de pique-nique, nous sommes découragées et nous nous remémorons les faits d'hier et la mort cruelle des centaures. Nous avons l'impression d'avoir envoyé au bûcher toute la famille royale. J'ai la mort dans l'âme.

– Crois-tu qu'ils sont tous morts ? demande Samara.

– J'ai bien peur que oui. Mais qu'est-ce qu'on fait avec la pomme ?

J'ouvre la boîte. La pomme est encore là. Elle est dure et brillante. Elle ne semble pas prête à disparaître ou à s'amollir. Ma mère sort avec un panier pour cueillir des légumes. Je referme vite la boîte.

– Vous êtes bien silencieuses, les jumelles, dit ma mère en passant et en fixant d'une façon suspecte ma boîte. J'espère que vous ne concoctez pas un mauvais coup.

Elle est penchée dans son jardin quand un bruit de moteurs se fait entendre. Au tout début, on croit bien que c'est la tondeuse à gaz de l'hyper fou des gazons bien verts et bien rasés. Mais non, le bruit vient d'en haut.

– M'aaaaaaan, s'étonne ma sœur, un hélicoptère!

En peu de temps, les gens se retrouvent tous dehors en train de hurler de joie. Mais la surprise est de taille lorsqu'une voiture roulante fait son apparition. C'est le maire. Il est assis sur le siège arrière d'une limousine noire comme celles qui sont réservées lors d'un grand événement, comme l'arrivée d'un homme d'État ou d'une vedette. Le conducteur circule très lentement. Une longue filée de gens le suit par-derrière en marchant, en chantant et en claquant des mains.

– L'électricité s'en vient, crie-t-il, tout joyeux, par la fenêtre en nous saluant.

Le véhicule s'arrête à quelques mètres plus loin de la maison et tous les gens le pressent de questions. Il sort de son véhicule comme s'il était le roi. Il salue son peuple en soulevant ses deux bras et la foule l'acclame.

– Chers concitoyens et chères concitoyennes, je n'ai que d'excellentes nouvelles. L'électricité s'en vient. J'ai pu enfin rencontrer les autorités et ils nous assurent que d'ici trois ou quatre jours, nous allons être rebranchés.

La foule hurle et certains se prennent par les bras et sautent dans les airs en pleurant. Lorsque les gens se calment, il poursuit :

– De plus, la plupart de vos véhicules devraient fonctionner. La tempête a eu un effet temporaire sur les systèmes électroniques de la plupart des véhicules, semble-t-il. Les scientifiques ont remarqué qu'après quelques jours, l'effet magnétique s'estompait au point où les pièces électroniques retrouvaient leur usage d'origine.

Les gens hurlent de nouveau de joie.

– Par contre, poursuit-il, les stations-service ne sont pas en activité. Alors, chers concitoyens et chères concitoyennes, soyez parcimonieux. L'essence est rare.

Mon père se retire du groupe et je le vois entrer dans le garage. J'entends le son du moteur. La Nissan fait son apparition après huit jours de silence. Il roule dans la rue en vociférant à tue-tête : « Ça marche, mon auto marche ! », alors que c'est l'évidence même.

D'autres sont tentés d'aller chez eux pour vérifier ce fait. Avant que la foule ne se disperse, le maire crie :

– Vous êtes tous et toutes conviés à la mairie à 13 h pour une mise au point sur la crise par un expert.

Puis, il s'engouffre dans sa longue limousine et continue à livrer la bonne nouvelle dans les différents quartiers de la ville.

À 13 h pile, les rues pour se rendre à la mairie sont bloquées par tous les imbéciles de pères voulant montrer que leurs voitures roulent, et j'inclus le mien, surtout parce que nous demeurons ridiculement près de la mairie.

Il n'y a plus de place de stationnement disponible et mon père gare sa voiture à plus de trois coins de rue, c'est-à-dire à mi-chemin de notre résidence. Ma mère lui donne comme d'habitude un sermon peu élogieux concernant ce gaspillage d'essence avant de sortir de l'automobile.

La salle est bondée. Je me serais bien passée de ce point d'information, mais nos parents ne veulent toujours pas nous laisser seules. Il en va de même pour Maxime et Simon, que j'aperçois un peu plus loin.

Après une bonne demi-heure de sudation dans cette salle, l'expert exténué à force de crier dans un vieux porte-voix met fin à son discours et passe le porte-voix au maire. Celui-ci placote une bonne demi-heure avant de nous souhaiter une bonne journée et de nous indiquer que nous pouvons disposer.

– Ça ne valait vraiment pas la peine d'y être, dis-je en marchant vers notre véhicule. Tout ce qu'on a appris, on le savait déjà.

– Au moins, nous savons que nous n'avons que pour deux ou trois jours avant d'être rebranchés, dit mon père d'une voix triste.

– Ouais, soupire ma mère, encore quelques jours. La tempête n'a touché que certains secteurs. D'après l'expert, c'est une chance que les effets sur le secteur aient été de si faible envergure, car sinon, il n'y aurait pas eu d'espoir pour un retour à la normale.

– Sauf que, dit mon père en ouvrant la portière, nous étions dans ce secteur touché, un secteur comprenant Montréal, Saint-Jean-sur-Richelieu, Plattsburgh, Drummondville, Saint-Jérôme, Cornwall, Hawkesbury et Trois-Rivières.

– New York a été épargnée, tout comme la ville de Québec, dis-je en m'assoyant sur la banquette arrière. Les chanceux!

– Par contre, d'autres grandes villes ont été touchées en Europe et sur les autres continents, ajoute mon père.

– Mais, on ne le saura pas de si tôt, je précise. Quelques satellites de communication sont trop endommagés. Jus de betterave ! Pas de télévision ni de radio pour encore quelque temps, a dit l'expert.

En arrivant devant notre maison, un gros camion de déménagement est garé sur la rue devant la maison des Beauséjour.

– Hé bien ! s'exclame ma mère. On va enfin connaître les nouveaux propriétaires de cette magnifique maison.

Chapitre 24

DE NOUVEAUX VOISINS

Nous débarquons du véhicule. Mon père siffle en apercevant une jolie Porsche noire dans l'entrée des voisins d'en face.

– Les voisins sont fortunés, déduit-il.

– Probablement, les Beauséjour ont demandé un prix fort élevé pour leur résidence. Je l'aime bien, cette maison, soupire ma mère. La serre en arrière est un vrai rêve.

Comme je l'ai déjà dit, ma mère aime cette maison de rêve avec son jardin d'hiver à l'arrière. Elle adore ses grandes verrières, ses tiges fines en fer forgé, son toit en vitrages triangulaires.

Elle raffole de tous les arceaux, les volutes et les croisillons de cette serre. Elle s'y était souvent vue en train de tourner le sol, arroser les plantes, bouturer les roses et récolter du basilic à profusion. Et voilà qu'elle appartient à une autre famille.

Une dame dans la mi-trentaine d'une grande beauté portant des shorts et un t-shirt noirs sort de la maison pour mettre la main à la pâte et aider les trois déménageurs. Elle nous aperçoit tous en ligne, sur le trottoir. Elle traverse la rue et vient à notre rencontre. Ma mère rougit et je vois bien qu'elle ne sait plus quoi faire. Partir ou rester ? Mon père, lui, est déjà ravi de faire la connaissance d'une aussi jolie voisine à la longue chevelure noire et aux jambes effilées.

– Bonjour ! dit-elle d'une voix chantante, je m'appelle Sybille.

Elle tend sa main vers ma mère et ses multiples bracelets en argent tintent. Une minuscule pierre de lune bleutée est incrustée dans sa narine gauche.

– Et moi, c'est Mélanie Bellerive, annonce-t-elle d'une voix rigide.

– Enchantée, répond-elle.

Elle regarde derrière elle. Un homme de taille moyenne, svelte et aux cheveux bruns tombant au niveau de la nuque remarque sa conjointe près de nous. Il traverse la rue d'un pas souple et nous sourit.

– Bonjour, je m'appelle Loup, dit-il en se présentant à ma mère.

– Loup comme un loup ? s'étonne-t-elle.

– Oui, c'est mon nom d'artiste. Mon vrai nom est Loucas Wolff. Vous avez de charmantes filles, dit-il en nous regardant. Nos filles sont à peu près du même âge.

– Vous avez des jumelles ? demande mon père.

– Oui, dit-il.

– Quelle coïncidence ! s'étonne mon père.

Loup se retourne, met deux doigts dans la bouche et siffle. Deux filles, une les cheveux flottants et l'autre avec deux tresses, gambadent au-dehors de la maison et traversent elles aussi la rue. Elles portent des shorts noirs, un t-shirt rayé noir et blanc et des bottines lacées.

– Voici Malika et Farah ! s'écrie fièrement Loup.

– Ah ! s'étonne de plus en plus ma mère par les prénoms des fillettes. Voici mes filles Samara et Saléna.

Nous tremblons. Les jumelles sont intimidantes avec leurs yeux d'un noir profond. Elles ont toutes les deux une forte ressemblance avec Mercredi Addams, la mystérieuse et sombre fillette de 11 ans de la famille Addams. Simon a l'air d'un ange à côté d'elles.

– Allez, les filles, dit monsieur Wolff, donnez-vous la main !

Nous échangeons un regard froid avant de nous donner la main et de nous coller contre nos parents.

– Elles sont charmantes, s'exclame Sybille. Un peu gênées, mais c'est normal.

Puis, elle se tourne vers son conjoint et lui dit :

– Loup, c'est merveilleux. De vraies jumelles, comme nos filles.

Ensuite, elle dévisage mon père avec des yeux pétillants et lui demande :

– Et à quelle école sont-elles inscrites ?

– À l'école Diderot, s'empresse de répondre le paternel.

– Comme nos filles, affirme Loup. La classe de sixième ?

– Exactement, confirme ma mère dont le ton de sa voix indique qu'elle n'est pas trop sûre d'aimer ça.

Nous frissonnons d'horreur. Dans quelques semaines, elles vont être assises dans notre classe. J'en ai la chair de poule.

– Eh bien, enchantée de vous connaître, dit Sybille. Je crois qu'on va continuer le déchargement. On vous invitera dès que nous serons installés et que l'électricité sera revenue.

Mais le paternel semble vouloir étirer la conversation.

– Qu'est-ce qui vous amène à Saint-Parlinpin ? demande-t-il.

– Nous voulions nous rapprocher de Montréal. J'ai souvent à y faire, répond Sybille. Nous sommes venus dès qu'on a su que tout s'améliorait ici. À Sherbrooke, nous avons eu à peine une petite panne d'un jour, alors que vous êtes dans le noir depuis plus d'une semaine.

– En effet ! Bon, je vous laisse poursuivre votre déménagement, dit-il en lui donnant la main.

Il y a un autre échange de poignées de main, nous avec les jumelles et eux entre parents. Une fois qu'ils sont rentrés à l'intérieur, notre père nous annonce qu'il est heureux de connaître une famille si sympathique. Par bonheur, ma mère ne semble pas avoir la même opinion que lui, surtout concernant la jolie Sybille.

Un peu avant 1 h, la jolie Sybille vient saluer à nouveau mes parents. Cette fois-ci, elle tient une glacière.

– J'ai complètement oublié que nous n'avions pas d'électricité. J'ai trop de nourriture pour ce soir, alors je vous apporte le reste du contenu de ma glacière.

Elle ouvre le couvercle et il y a des steaks, de gros poivrons rouges, un brie, une belle miche de pain et une bonne bouteille de vin.

– Wow ! jubile mon père. Merci ! Ça fait un bout de temps qu'on n'a pas mangé de steaks. Merci bien !

Ma mère jette un œil mauvais à cette jeune femme effilée, bien maquillée et à la chevelure noire savamment remontée. Mon père est en mode joie et il ne remarque pas le visage méchant de ma mère lorsqu'il se penche pour embrasser la nouvelle voisine.

– T'as vu, Mel, on va se faire tout un souper. Sors la belle vaisselle et les couteaux à steak !

Une fois dans notre chambre, je demande à ma sœur :

– Qu'est-ce que tu penses de nos voisins ?

– Loup, Sybille, Malika et Farah. Des prénoms à faire peur. Curieux que les parents aient nommé les jumelles avec ces prénoms.

– Pourquoi, qu'est-ce qu'il y a de bizarre ? je demande

– Ben, les premières syllabes collées ensemble, ça fait Malfa.

– Et…

– Ça sonne comme le démon Malphas. Tu sais ce que j'ai lu dans un des vieux livres de la bibliothèque municipale pour un travail de catéchèse. J'en ai eu des cauchemars.

– Je m'en souviens, mais alors…

J'ouvre grand les yeux et la terreur se lit dans ceux-ci.

– Ce sont des démones, je conclus.

– Qui sait ? Des démones ou des sorcières ou rien du tout, banalise-t-elle.

– Non, non, je crois que ce sont des démones et que c'est notre père qui les a attirées.

– Comment ça ? s'étonne Samara.

– Nous détenons une pomme d'or et nous avons ouvert le voile intemporel. Notre père a mis le feu à notre carte. Je crois que la pomme est un objet convoité et que cette Sybille voudra sûrement s'en emparer avant que nous ne pouvions la rendre à Centaura. Déjà, elle a tout fait pour envoûter notre père.

– Ouais, tu as peut-être raison, frissonne ma sœur jumelle. Et alors ?

– Nous devons retourner là-bas.

– Mais comment ?

– Tu dois redessiner cette carte exactement comme l'ancienne, j'ordonne.

– Ouais, je crois que tu as raison. Je dois la redessiner exactement comme avant. Et surtout, il faudra aviser Simon et Maxime. N'oublie pas qu'ils sont devenus maintenant indispensables à la réussite de notre projet.

– Et que faisons-nous de Charline, Marie-Pier et Gabrielle ? que je lui demande.

– Je ne sais pas, on verra demain.

Chapitre 25

MAUVAISE SURPRISE

Jour 9

Le bruit de camions nous réveille. Il n'est que 7 h du matin, mais il y a tellement de cris et de bruits que nous nous précipitons dehors en pyjama. Les camions d'Hydro-Québec sont dans la rue et tout le monde a sorti des casseroles et tape dedans. Les électriciens sont vus comme des héros. Tous poussent un cri de soulagement. L'électricité sera enfin de retour. Mais il semble qu'il faudra être encore un tantinet patients. « Encore quelques jours », nous disent-ils.

Je suis heureuse jusqu'à ce que j'aperçoive Charline, Marie-Pier, Gabrielle et leur compagnie. Je donne un coup de coude à ma sœur.

– Tu as vu ? lui dis-je.

– Ouais, elles ne manquent pas de front.

– Ouais, elles sont plutôt rapides, les pestes.

– Je suis d'accord avec toi, ce sont des pestes.

Les filles se tiennent avec Malika et Farah. Elles rient et s'amusent bien ensemble. Même mon père le remarque et s'en réjouit.

– Eh, les jumelles ! Regardez, vos amies se sont faites de nouvelles copines.

– Ouais, je soupire.

– Allez les rencontrer ! ajoute-t-il.

Sans grande conviction, nous traversons la rue. Nous constatons presque immédiatement que les filles ont déjà exprimé leur mécontentement.

– Eh bien ! dit Marie-Pier, nous allons former notre propre club.

– Ah oui ? dis-je en paraissant surprise alors que je m'attendais à ce développement.

– Vous avez un nom pour votre club ? demande Samara.

– Ouais, annonce Gabrielle d'un air fâché, le club Zohar

– Ah ! Pourquoi ce nom bizarre de Zohar ? je demande.

Malika s'avance vers moi :

– C'est le nom que nous lui donnons, un point c'est tout.

Elle m'a complètement cloué le bec. Ma sœur et moi retournons chez nous. Nous montons dans notre chambre pendant que tout le monde déborde de joie.

– Zohar, je ne connais rien sur ce sujet, j'avoue à ma sœur.

– Ça ne sent pas bon, me dit-elle.

Nous soupirons ensemble et nous avons la larme à l'œil. Nous n'entrevoyons rien de bon avec ces sorcières qui ont maintenant envoûté nos meilleures amies. La seule note optimiste est que nous avons deux alliés, Simon et Maxime, pour combattre ce club Zohar.

– Qu'allons-nous devenir ? dit Samara.

– Il nous faut d'autres alliés.

– Qu'est-ce que tu veux dire ?

– Les centaures. Je crois qu'ils pourraient casser les envoûtements de ces sorcières.

Nous soupirons et nous sommes pleines d'espoir.

LES FAITS

Le soleil, cet astre merveilleux, a permis la vie sur la terre. Son âge est estimé à 4,5682 milliards d'années. Il nous éclaire et nous réchauffe depuis tout ce temps, et il en sera ainsi pendant des siècles et des siècles. Peut-on imaginer que cet astre bienfaisant puisse un jour transformer nos vies de façon dramatique ? Comment est-ce possible ?

Eh bien, les scientifiques (il semble que les experts soient unanimes sur ce sujet) prévoient, en 2013 ou quelques années plus tard, une tempête magnétique de grande amplitude, c'est-à-dire la plus spectaculaire de tous les temps, pouvant atteindre une puissance trois fois plus grande que celles que nous subissons chaque année. Bien que la plupart des orages magnétiques soient sans conséquence, la prévision d'un orage d'une telle intensité, peut-être bien en 2013 ou les années subséquentes, alarme tout le milieu scientifique.

Mais qu'est-ce qu'une tempête ou un orage magnétique ? Ce sont des particules hautement chargées causant de spectaculaires éruptions solaires. Ce phénomène est à l'origine des magnifiques aurores boréales observables sur terre lorsque ces particules entrent en contact avec notre atmosphère. Elles offrent un spectacle haut en couleur.

Ce qui est particulier avec cet orage magnétique attendu pour très bientôt, c'est sa puissance et son étendue. Toujours selon les scientifiques, il pourrait engendrer des coupures d'électricité à l'échelle mondiale. Encore une fois, comment est-ce possible ?

Lors de cet orage, le champ magnétique terrestre, notre bouclier naturel, sera modifié au point d'être grandement réduit. On prédit que tous ou du moins une bonne partie des satellites de basse altitude s'écraseront sur la terre par gravité. Les experts anticipent que toutes les communications aériennes seront interrompues et que tous les systèmes électroniques seront inopérants. Wow !

Il n'y aura donc plus d'électricité, plus de moyens de communication, plus de vols d'avions, plus d'approvisionnements en nourriture ou en eau. Les usines d'épuration d'eau et de traitements des eaux seront paralysées ainsi que la collecte des vidanges. Bien d'autres services deviendront inopérants. Des maladies comme le choléra et la dysenterie sont à prévoir.

Quelques faits : en 1965, une énorme panne de courant a plongé 30 millions d'habitants du continent nord-américain dans l'obscurité. Une autre panne de même origine a touché 6 millions de Québécois en 1989.

Pourquoi le monde scientifique se préoccupe-t-il autant de ce phénomène maintenant ? En raison de notre dépendance à l'électricité et à l'électronique. Toutes nos actions quotidiennes dépendent d'une carte électronique pour payer l'épicerie, du courriel pour avoir des nouvelles de nos amis, d'un système de repérage GPS pour atterrir et décoller des pistes d'atterrissage des avions, des composantes électroniques pour démarrer notre automobile et, bien sûr, de l'électricité pour toutes les autres activités anodines que nous accomplissons tous les jours. Les spécialistes craignent aussi des explosions dans les pipelines et peut-être même des modifications du climat de notre planète dans les jours qui suivront cette tempête.

Il semble que nous disposerons d'un court laps de temps pour aviser la population, à moins que les satellites de première ligne tombent tous en panne. Normalement, le temps séparant une éruption solaire et l'arrivée sur terre de son effet paralysant pour les appareils électriques et électroniques serait de 60 heures, mais il peut être aussi court que 17 heures.

La technologie sera là pour nous aider à savoir à quel moment la tempête frappera. Mais qu'est-ce qui se passera si les dommages sont d'une telle amplitude qu'il faudrait des années pour réactiver l'électricité ? Que deviendront les gratte-ciels sans électricité, sans ascenseurs, sans eau ? Combien de gens devront se déplacer en raison des conditions précaires des grandes villes ? Comment voyageront-ils ? Et pour aller où ?

À partir de ces faits un peu apocalyptiques, j'ai bâti mon histoire électrisante. Je me croise les doigts pour que cette apocalypse n'arrive pas et que ce premier cavalier blanc céleste ne débarque par sur notre terre. Par analogie, le cavalier blanc est la feuille blanche avant que Samara ne dessine.

J'espère que vous vous êtes amusés des mésaventures de Saléna et Samara. Bien d'autres événements surprenants sont à venir.

Ne manquez pas la suite

TOME 2

EUPHORIE

Extrait du tome 2

Chapitre 1

LA NORMALE

Micro en main, je sautille sur mon lit pendant que ma sœur est déjà en bas en train de déjeuner.

– Bonjour, je m'appelle Saléna Bellerive, votre animatrice préférée la plus *coool* de Saint-Parlinpin. Chers spectateurs et chères spectatrices, il est présentement 7 h 25 du matin. Je reprends l'antenne après de nombreux jours d'absence subis en raison de l'Événement, celui tant annoncé, cet horrible orage magnétique qui a bouleversé nos vies, nos familles et notre voisinage (dis-je en prenant une voix pathétique). Mais comme on dit : « toute bonne chose ou… mauvaise, je devrais plutôt dire, a une fin ».

» Alors, malgré que l'électricité soit revenue, comme vous l'avez peut-être noté, chers spectateurs et chères spectatrices, tout n'est pas parfaitement revenu à la normale. Je tire cette conclusion d'une observation très méticuleuse et suivie d'une période significative d'un jour des comportements de mes voisins. Je note qu'il y a encore et encore beaucoup de moments d'euphorie chez ces hominiens. Hi hi ! Hum… hum ! bon… petite blague sur mes voisins primates. Désolée, chers spectateurs, je reprends mon sérieux. Je disais donc. Ah oui ! Vous voulez savoir quel genre de comportement ? Eh bien, en voici quelques exemples ! Certains applaudissent en voyant un simple véhicule de vidange déambulant dans la rue ; d'autres restent dans la maison et sont en allégresse en écoutant la radio ou la télévision ou même en écoutant les douces sonorités des pales d'un simple ventilateur en action ; d'autres se sont précipités sur

Internet, Facebook et autres réseaux sociaux pour dire à la face du monde qu'ils sont encore vivants. Crier leur moi, moi, moi ! Hi, hi, hi ! Je sais, j'ai été la première à le faire. Hum ! hum ! Bien sûr, mes chers spectateurs, la plupart des gens s'accordent pour dire qu'un certain temps d'adaptation à la vie normale est nécessaire après cette privation d'électricité et d'électronique avant de réintégrer le quotidien tel que connu avant l'Événement. Pour moi, le simple retour de la nourriture chaude et des fromages qui font quick-quick me propulse au paradis. Hi, hi, hi !

J'aime rire de mes propres blagues. Hum… Ça ne fait pas très professionnel. Puis, je reprends mon expression la plus sérieuse du monde et j'ajoute, en parlant à mon miroir et dans le micro :

– Mais ce qui m'a le plus surpris et horrifié, ce fut le retour des tondeuses. Dès les premières lueurs du soleil de la première journée du retour de l'électricité, l'enfer, eh oui ! L'enfer, que je vous dis, et je pèse bien mes mots. L'enfer est de retour dans notre beau quartier de la rue des Ormes. Toutes les tondeuses de tout acabit ont ronronné en ce premier jour de la vie normale, je dis bien toutes. Elles ont ronronné en même temps à 7 h du matin, comme si un signal de départ de marathon avait été donné. Mon vénérable père n'était pas différent des autres avec sa super tondeuse électrique à lames rotatives avec un large et profond bac accroché en arrière. Je dois cependant vous annoncer une triste nouvelle. Cela faisait quelques jours que mon petit papa d'amour n'avait pas passé un autre type de tondeuse sur son beau visage, et voilà que ce matin, il a fait l'irréparable. Il s'est rasé. Il n'a plus sa super barbe qui lui donnait un look d'enfer à la Ben Affleck, bououou ! Mon papa est redevenu le papa d'avant. Papa Philippe !

» Bon, revenons à notre point majeur. Tout n'est pas revenu à la normale à Saint-Parlinpin. Vous vous en doutiez un peu. Mon père a développé depuis peu une particularité singulière, à savoir le désir d'un gazon parfait à l'avant de la maison. En fait, je dirais de façon concrète et précise qu'il est comme ça depuis l'emménagement de la famille Wolff, nos nouveaux voisins, en face de chez nous. Ce phénomène n'est pas étranger à son nouveau comportement super méticuleux avec sa pelouse rase et son menton bien rasé. J'ai bien l'impression que les longues jambes effilées de la nouvelle voisine l'intéressent au plus haut point, et peut-être aussi son joli minois et la minuscule pierre de lune bleutée incrustée dans sa narine gauche.

» Par ailleurs, ce fut le retour des bonbonnes de gaz propane et des steaks au barbecue. La redécouverte des grillades. Nos hominiens chantent et tiennent désormais une bière bien froide tout en tournant d'énormes morceaux de viande sur la grille. L'homme, le vrai, celui de grognon et de néandertal, est de retour. Demain, ce sera le 25. Bien que ce ne soit pas un lundi, ce sera le premier jour de retour au travail officiel décrété par le maire de Saint-Parlinpin après 12 longs jours de relâche.

» Oh, écoutez ! J'entends une tondeuse à précisément 7 h 38. Si nos caméras pouvaient se rendre à l'avant de notre maison, vous verriez mon père couper encore une fois le gazon tout en lorgnant la porte d'entrée de la maison d'en face. Puis, vous entendriez le cri de ma mère, un gros « QUOI ? » suivi de : « Tu n'es pas encore en train de tondre le gazon en avant, j'espère ! Ça fait trois jours de suite. Ce n'est pas possible. Qu'est-ce que tu trouves à ce gazon ? », et mon père rouspéterait en disant d'une voix faible : « J'avais oublié une petite zone. » Eh oui, chers spectateurs et chères spectatrices, autant madame Wolff met en beau pétard ma mère, autant les jumelles Malika et Farah Wolff nous mettent en rogne. Ce sont des jumelles qui ont le même âge que ma sœur et moi. De plus, elles ressemblent beaucoup toutes les deux à la fillette de la famille Addams, ouain, celle qui s'appelle Mercredi Addams. Brrr ! Elles me donnent des frissons. Bref, mon père surveille la dame prénommée Sybille tandis que nous, nous surveillons ses enfants.

Je sautille une autre fois sur mon lit. Je cherche d'autres nouvelles importantes à révéler quand un cri primal me fait revenir à la réalité.

– Saléna, veux-tu descendre ? hurle ma mère.

– Brrr ! Ça, ça n'a pas changé ! Désolée, chers spectateurs, d'interrompre votre émission préférée. Nous nous reverrons à la même heure et au même poste. Bonne journée !

Je saute en bas de mon lit et je range mon micro dans le tiroir de ma commode, puis je crie :

– OK, m'an ! Je descends !

www.ada-inc.com
info@ada-inc.com